GPT랑

책쓰고

버킷리스트

한 줄 지우기

박 규 환 지음

GPT 랑 책 쓰고 버킷리스트 한 줄 지우기

발 행 | 2023 년 01 월 19 일

저 자 | 박 규 환

펴낸곳 | 주식회사 부크크

출판사등록 | 2014.07.15(제 2014-16 호)

주 소 | 서울특별시 금천구 가산디지털 1 로 119 SK 트윈타워 A 동 305 호

전 화 | 1670-8316

이메일 | info@bookk.co.kr

ISBN | 979-11-410-6769-4

www.bookk.co.kr

| 목 차 |

<시작하며>

"강사님, 이번에 도서관에서 '챗책(Chat冊)'이라는 프로젝트를 시작할 예정인데, 강의를 맡아주실 수 있을까요?"

이 한 통의 전화로 모든 것이 시작되었습니다. '챗책(Chat冊)' 프로젝트, 즉 'ChatGPT로 책쓰기'는 최근 화제의 중심인 ChatGPT를 활용하여 책을 쓰는 과정을 배우는 수업이었습니다. GPT 관련 강의 경험이 꽤나 많았던 저는 이 프로젝트의 강사로 초청되었습니다. 원래 6시간으로 계획된 강의가 주최 측과의 커뮤니케이션 오류로 6*2=12시간으로 확장되었고, 이에 따라 책을 어떻게 쓰는지를 열심히 연구하게 되었습니다.

"이 강의를 마치면, 수강생 여러분은 전자책을 출간해야 합니다."

이 조건은 저에게 상당한 부담이었습니다. 비록 공동 책을 출판한 경험은 있지만, 무료 강의를 듣는 수강생들이 자발적으로 책을 출간할 수 있을까라는 의문이 들었죠. 하지만 강의는 예상보다 훨씬 성공적으로 마무리되었고, 끝까지 열심히 따라온 수강생 대부분이 교보문고나 예스24에 전자책을 등록하며 '작가'라는 타이틀을 얻었습니다. 심지어 수강생 중에는 이미 100권 이상의 책을 집필한 경력 있는 작가도 계셨습니다.

이 책은 한 달 반 동안의 "GPT를 활용한 책 쓰기" 과정을 체계적으로 정리한 것입니다. 또한, 책의 마지막 부분에는 전자책 등록 방법을 상세히 안내하여 누구나 쉽게 따라만 하면 전자책을 출판할 수 있게 했습니다.

책에는 GPT에게 질문하고 받은 답변들이 많이 포함되어 있으며, 이 부분들은 편집 없이 원문 그대로 실었습니다. 이러한 대화 부분중 GPT의 대답은 '고딕체' 로 표시하여 쉽게 구분할 수 있도록 했습니다.

취미로 가끔 사진을 찍습니다. 사진을 시작했을 때, 저는 인터넷 사진 카페나 숙련된 사진작가들에게 사진을 잘 찍는 방법에 대해 물었습니다. 그들은 모두 같은 대답을 합니다. "많이 찍어봐야 해요." 그 말이 참 싫었습니다. 너무나 당연하고, 성의 없는 조언처럼 들렸죠. 하지만 시간이 지나면서, 점점 더 사진을 공부하고, 연구하고, 찍으면서 그 말의 진정한 의미를 깨달았습니다. 그들의 조언이 정말로 사진을 잘 찍는 데 필요한 '진짜' 답이었다는 것을요.

그 후, 저는 한 작가에게 책을 잘 쓰는 방법에 대해 물었습니다. 그의 대답도 예상대로였습니다. "많이 써봐야 해요." 사진을 찍으면서 경험한 바로, "이제 이 말이 무슨 뜻인지 알게 되었습니다."

어떻게 많이 쓸까? 블로그에 먼저 써놓고 나중에 책으로 옮길까? 제 성격상 그렇게 하면 아마 죽을 때까지 책이 나오지 않을 것 같았습니다.

바로 직접 책을 쓰기로 결심했습니다. 그렇게 시작한 글쓰기가 여기까지 이어졌습니다.
사실, 저는 책을 좋아하기는 해도 활자 중독은 아니고, 책을 어떻게 쓰는 지 조차 잘 모르는 사람입니다. 전문가가 본다면 이 책이 꽤나 조악하게 느껴질 수도 있겠죠. 하지만 이 책을 읽으시는 여러분, 먼저 한번 시작해 보시죠

 일단 시작하면, 시작한 것이 아까워서라도 끝까지 써야 하니까요. 그리고 끝까지 쓰고 나면, 어느새 여러분도 작가가 되어 있을 겁니다.

자, 그럼 작가가 되실 준비는 되셨나요?

"여러분들의 시작을 응원합니다!"

이 그림은 인공지능이 그려준 작품입니다.

인공지능이라는 단어를 들으면 무엇이 떠오르나요? 어쩌면, 공상 과학 영화 속의 로봇을 떠올릴 수도 있고, 혹은 스마트폰의 음성 인식 기능 같은 일상 속 작은 편의들을 생각할 수도 있습니다. 사실 인공지능(AI)은 이 모든 것을 아우르는 광범위한 개념입니다. 하지만 무엇보다 중요한 것은 인공지능이 우리의 삶을 더욱 쉽고, 편리하게 만들어주는 혁신적인 기술이라는 사실입니다.

이미 인공지능은 우리 일상 곳곳에 스며들어 있습니다. 온라인 쇼핑을 할 때, 우리가 관심을 가질 만한 제품을 추천해주는 것부터 시작해, 우리가 사용하는 스마트폰 내의 여러 앱들이 우리의 사용 패턴을 학습하여 더 나은 사용자 경험을 제공하는 것까지, 인공지능은 눈에 띄지 않게 우리의 삶을 지원하고 있습니다.

인공지능은 단순히 기술적인 면에서의 진보를 넘어서, 우리의 삶을 변화시키는 강력한 도구로 자리매김하고 있습니다

그렇다면 글쓰기는 어떨까요? 글쓰기는 우리의 생각과 감정을 표현하는 도구입니다. 마 치 우리의 마음의 창문이라고 할 수 있죠. 이 창문을 통해 우리는 자신의 이야기를 다른 사람들에게 전달하고, 또 다른 사람들의 이야기를 들을 수 있습니다.

이제, 이 두 가지가 만났을 때 무슨 일이 일어날까요? 인공지능과 글쓰기가 만나면, 재미난 일이 일어납니다. 인공지능은 우리의 글쓰기를 돕고, 또 우리의 창의성을 끌어올려줍니다. 반면, 우리는 인공지능 에게 '이해'와 '감정'이라는 인간만의 특별한 선물을 전달해줄 수 있죠.

이 책에서는 인공지능이 글쓰기를 어떻게 변화시키고, 그 과정에서 우리가 어떻게 더 나은 이야기를 만들어낼 수 있는지 알아볼겁니다. 또, 인공지능과 함께 글쓰기의 새로운 가능성을 탐구해 보겠습니다.

AI는 어떻게 글을 쓰는 걸까

- ✔ AI글쓰기 도구
- ✔ 생성형 AI의 종류
- ✔ 질문의 중요성

9

AI는 어떻게 글을 쓰는 걸까?

인공지능과 글쓰기의 만남, 이것이 어떻게 가능할까요? 이것을 이해하려면 요즘 가장 많이 쓰이고 있는 생성형 AI의 툴에 대한 조금의 이해가 있어야 합니다.

우선 간단한 문제를 내보겠습니다. "철수는 밥을" 다음에 나오는 말은 무엇일까요? 대부분의 사람들은 "먹었다" 라고 대답할 것입니다. 실제로 제가 강의를 나가 여러 사람들에게 이 문제를 던져봤을 때, 대부분 비슷한 답변을 하더군요.

그런데 이 문제를 조금 변형해 볼까요? "철수는 아침부터 굶었다. 집에 와서 밥솥을 열어보니 밥이 없었다, 그래서 철수는 밥을..." 이렇게 말이죠. 이번에는 다른 답변이 나올 수 있습니다. 아마 "했다" 또는 "지었다"와 같은 말이 나올 것입니다. 이것이 바로 인간의 뇌가 상황에 따라 다르게 반응하는 예입니다. 우리는 깊게 생각하지 않아도 답을 바로 말할 수 있죠.

그렇다면 생성형 AI는 어떻게 이러한 문장을 만들어낼까요? AI는 언어를 학습하여 인과관계를 파악합니다. 예를 들어, "하루 종일 굶었고 집에 와서 밥이 없다면? 그럼 배가 고프겠지. 그런데 밥이 없으니, 이제 어떻게 해야 하지?" 같은 방식으로 말이죠. AI는 이러한 상황을 기존에 학습한 언어 모델을 통해 분석하고, 그 다음에 올 가장 자연스러운 단어나 문장을 찾아냅니다.

생성형 AI 중 가장 널리 알려진 ChatGPT의 'GPT'는 'Generative Pre-trained Transformer'의 약자입니다. 이는 사전에 훈련된 수많은 단어들을 바탕으로 새로운 문장을 '생성'한다는 의미를 가집니다. 즉, GPT는 방대한 데이터를 기반으로 문장을 만들어내며, 이를 통해 새로운 내용을 창조해낼 수 있습니다. 수많은 단어를 인과관계에 의해서 조합하는 거죠.

이러한 과정을 통해 AI는 주어진 문맥에 따라 적절한 내용을 생성할 수 있으며, 이는 글쓰기에 있어 매우 유용한 도구가 될 수 있습니다. 그러나 여기에는 중요한 한계도 있습니다. AI는 여전히 인간의 창의성과 감성을 완전히 대체할 수는 없습니다. AI가 제공하는 내용은 결국 인간의 지도와 감독이 필요하며, 최종적인 결과물은 결국 인간 작가의 독창적인 생각과 노력으로 완성해야 합니다. 지금 이 글을 쓰고있는 필자도 AI의 도움을 받아서 문체와 아이디어에 관한 도움을 받고 있지만 결국은 사람의 손과 노력이 들어가야함을 부인할 수는 없습니다.

AI 글쓰기 도구의 세계

생성형 AI의 종류에는 무엇이 있을까요? 이에 대해 알아보겠습니다. 현재 시장에는 여러 종류의 생성형 AI 도구들이 있으며, 이 중 일부는 글쓰기에 특화되어 있습니다. 특히 한국에서 사용되는 몇 가지 주요 생성형 AI를 살펴보면 다음과 같습니다

- OpenAI의 GPT 시리즈 (특히 GPT-3, GPT-4): 이들은 가장 널리 알려진 생성형 AI 모델 중 하나로, 다양한 언어를 학습하여 인간처럼 자연스러운 텍스트를 생성할 수 있습니다. 이 모델들은 블로그 글, 소설, 기사 등 다양한 형태의 텍스트 생성에 활용될 수 있습니다.
- 구글의 BERT와 T5: BERT는 문맥 기반의 언어 이해에 강점을 가진 모델이며, T5는 "Text-to-Text Transfer Transformer"의 약자로, 다양한 텍스트 변환 작업에 사용됩니다. 이들은 주로 문맥 이해, 번역, 요약 등의 작업에 활용됩니다.
- 뤼이드의 AI 튜터 '산타': 교육 목적에 특화된 AI로, 학생들의 글쓰기를 도와주고 피드백을 제공합니다.
- 네이버의 '클로바': 대화형 AI로, 자연스러운 언어 처리와 생성 능력을 가지고 있어 글쓰기 및 대화 생성에 사용될 수 있습니다.

- ETRI의 한국어 처리 AI: 한국전자통신연구원(ETRI)에서 개발한 AI는 한국어 텍스트 처리와 생성에 특화되어 있으며, 한국어 자연스러운 문장 생성에 강점을 가집니다.

이러한 AI 도구들은 각각의 특성과 장점을 가지고 있으며, 사용자의 목적과 필요에 따라 다양한 방식으로 활용될 수 있습니다. AI 글쓰기 도구는 텍스트 생성, 언어 번역, 교육 목적의 피드백 제공 등에 유용하게 사용되며, 특히 한국어 처리에 특화된 도구들은 한국 시장에서 더욱 효과적으로 활용될 수 있습니다.

위의 글들을 다 읽으셨나요? 위의 글은 ChatGPT-4로 작성한 내용 전혀 수정하지 않고 나오는 대로 붙여 넣었고 프롬프트 입력은 이렇게 했습니다.

Q : "생성형 AI의 종류에는 무엇이 있을까요? 한번 알아보겠습니다."

이렇게 시작하고 지금 나와있는 생성형 AI가 몇개인지 그리고 글쓰기에 특화된 AI가 무엇인지 이런 것들을 정리해서 알려줘 한국에서 많이 쓰는 것들이면 더 좋겠어"

위의 질문을 수정을 하나도 안하고 그냥 붙여봤습니다.

제가 AI 강의를 할 때 처음부터 꼭 학생들에게 상기시키는 말이 있습니다 "AI는 완벽하지 않다" 라는 말이죠.

위의 답변을 봤을 때도 Chat GPT와 네이버 클로바 말고는 별로 쓸만한 내용들이 없습니다. 구글의 BERT와 T5 라고 추천을 해줬는데 BERT같은 경우 일반인들이 쉽게 쓸 수 있는 도구가 아니죠. 보통 구글에서 일반인들이 쉽게 사용하는 도구는 BARD 라고 하는 AI 입니다.

GPT4 한테 다시 한번 물어봤습니다.

Q : "구글의 BERT와 T5 이게 뭔지 쉽게 설명해줘. 구글에서 나온건 BARD 아니야? 이게 무슨차이가 있는지 알려줘"

내용이 길어서 GPT가 만들어준 표로 대신하겠습니다.

모델	개발자	주요 기능 및 특징
BERT	구글	양방향 문맥 이해, 문장 내 단어 의미 분석, 자연어 처리
T5	구글	텍스트 변환 작업(번역, 요약, 답변 생성 등) 처리
BARD	구글	대화형 AI, 사용자 질문에 대한 정보 제공 및 대화

다시 물어보죠

Q : "BERT 와 T5를 일반인들이 쉽게 쓸 수 있어?"

BERT와 T5는 구글에서 개발한 고급 언어 처리 모델들로, 기본적으로 이들은 데이터 과학자, 개발자, 또는 AI 연구자들이 사용하기 위해 설계되었습니다. 일반인이 이러한 모델을 직접적으로 사용하는 것은 다소 어려울 수 있습니다. 그 이유는 다음과 같습니다

기술적 전문성 필요: BERT와 T5를 효과적으로 활용하려면, 기계 학습, 자연어 처리, 프로그래밍에 대한 상당한 지식이 필요합니다. 이러한 모델들은 보통 프로그래밍 인터페이스(API)를 통해 접근되며, 이를 활용하기 위해서는 기술적인 배경 지식이 필요합니다.
리소스 요구사항: 이러한 모델들은 대규모 데이터를 처리하고 학습하는 데 상당한 컴퓨팅 자원을 요구합니다. 일반인이 이러한 자원에 접근하기는 어려울 수 있습니다.

하지만, 이러한 모델들을 기반으로 한 여러 응용 프로그램과 서비스는 일반인들도 쉽게 사용할 수 있도록 설계되어 있습니다. 예를 들어, 구글 검색이나 번역 같은 서비스는 BERT와 같은 모델을 기반으로 하여 최적화되었으며, 이러한 서비스

는 사용자 친화적인 인터페이스를 제공하여 누구나 쉽게 이용할 수 있습니다.

따라서, BERT와 T5 자체를 직접적으로 활용하기는 어려울 수 있지만, 이러한 모델을 기반으로 한 다양한 응용 서비스를 통해 일반인들도 AI의 혜택을 받을 수 있습니다.

다 읽으실 필요는 없고 정리하면 BERT랑T5는 과학자나 개발자들이 연구하도록 설계되었고 이러한 모델들을 기반으로 한 여러 응용프로그램에서는 쉽게 쓸 수 있답니다.

생성형 AI의 종류

그러면 아까 말한 **생성형 AI의 종류에는 무엇이 있을까요?** 라는 질문에 이렇게 답하면 안되죠.   다시 말하지만 AI는 완벽하지 않습니다.

물론 지금 제가 GPT에게 물어본 질문도 완벽하진 않습니다. 질문하는 법은 뒤에 다시 설명하겠습니다.

좀 돌아왔는데 다시 한번 생성형 AI의 종류에 대해서 나열해보겠습니다, 필자가 책 쓰기 강의를 할 때나 블로그 , 사업계획

서를 쓸 때 많이 사용하는 툴 위주로 경험에 비추어 나열하겠습니다.

1. ChatGPT 4.0

첫번째는 단연코 ChatGPT 4.0 입니다. ChatGPT 4.0은 생성형 AI의 선두 주자로 가장 좋은 성능을 제공합니다. 이 모델은 두 가지 버전으로 제공되는데, 하나는 무료 버전인 ChatGPT 3.5이고, 다른 하나는 유료 버전인 ChatGPT 4.0입니다. 유료 버전의 사용료는 월 22달러(한화 약 26,000원)이며, 이는 일부 사용자에게는 제한적일 수 있지만, 그만큼 높은 성능과 결과의 질을 제공합니다. 이러한 유료 버전은 3시간에 40개의 질문 제한이 있어 40개를 다 소진하면 3시간을 다시 기다려야 합니다. 무료 버전에는 이러한 제한이 없음에도 불구하고, 많은 사용자들이 높은 품질의 결과를 위해 유료 버전을 선택합니다. (저 역시 그렇습니다)

ChatGPT 4.0의 또 다른 주목할 점은 이에 포함된 플러그인 기능과 GPTs, 즉 사용자 맞춤형 챗봇(ChatBot)을 만들 수 있는 도구입니다. 플러그인 기능 중 하나인 'Scholar Assist'나 'Scholar AI'와 같은 도구는 논문을 찾고 요약하는 데 아주 유용하며, 이는 책을 쓰는

데에도 큰 도움이 됩니다. 이러한 도구들은 연구 자료를 빠르고 효율적으로 처리하며, 복잡한 학술 자료를 이해하기 쉽게 전달하는 데 중요한 역할을 합니다.

이처럼 ChatGPT 4.0은 높은 성능과 다양한 기능으로 인해 많은 사용자들에게 선호되고 있습니다. 특히, 학술 연구와 콘텐츠 생성 분야에서 그 가치가 높게 평가되고 있으며, 이는 사용자들이 이 도구를 선택하는 주된 이유 중 하나입니다. 유료 버전의 일부 제한에도 불구하고, 그것이 제공하는 고급 기능과 향상된 결과는 많은 이들에게 가치 있는 투자로 여겨집니다.

2.　Wrtn (뤼튼)

뤼튼은 한국에서 개발된 혁신적인 생성형 AI 플랫폼으로, 다양한 기능과 사용자 친화적인 인터페이스를 제공합니다. 이 플랫폼은 ChatGPT와 같은 거대 언어 모델을 기반으로 하여, GPT-4.0, GPT-4 Turbo, GPT-3.5-16K, 그리고 PaLM2 모델을 무료 또는 유료 옵션으로 제공하며, 사용자들에게 다양한 선택권을 부여합니다. 또한, 이미지 생성 기능과 세분화된 메뉴 옵션을 갖추고 있어 AI 초보자들도 쉽게 접근할 수 있는 환경을 제공합니다

뤼튼의 주요 기능으로는 블로그 포스팅, 마케팅 문구, 각종 문서 작성을 도와주는 ′툴′과, 글을 대신 작성해 주는 ′에디터′, 사용자 맞춤형 AI 앱 및 챗봇을 만들 수 있는 ′스튜디오′, 그리고 AI 모델과 툴을 공유할 수 있는 ′스토어′가 있습니다. 이러한 기능들은 대학생, 컨텐츠 제작자, 마케터 등 다양한 사용자들에게 유용하게 활용됩니다. 뤼튼은 한국 시장에 특화된 서비스를 제공하는 것이 가장 큰 장점으로, 한국어 기반의 AI 채팅과 이미지 생성 등을 할 수 있으며, 다양한 글쓰기 상황에 맞춰 AI가 글의 초안을 작성해 줍니다. 그러나 아직 서비스가 지속적으로 업데이트되고 있으며, ChatGPT나 구글의 바드와 비교했을 때 속도가 다소 느린 편이라는 [1]단점도 있습니다

---

[1]뤼튼(wrtn)의 "툴" 메뉴

3. 퍼플렉시티AI(perplexity AI)

퍼플렉시티AI는 많은 사람들이 모르실 수도 있는데 생성형AI를 주로 쓰는 사람들에게는 입소문이 많이 퍼져있는 툴입니다. 가장 큰 특징은 "코파일럿(copilot)" 이라고 하는 것인데 이는 사용자의 질문에 대해 단순히 답변을 제공하는 것이 아니라, 질문을 더욱 세분화하여 대화를 이어나가는 방식으로 작동하는 AI 기반 검색 엔진입니다. 사용자가 질문을 하면, 퍼플렉시티는 그 질문을 더 자세히 파악하기 위해 추가 질문을 던지고, 이를 통해 더욱 정확하고 유용한 결과를 제공합니다. 이러한 방식은 사용자에게 더 나은 이해와 통찰력을 제공하며, 질문의 세분화를 통해 결과의 질을 향상시킵니다

---

2 뤼튼(wrtn)의 "툴"이나 "챗봇"을 만들 수 있는 AI제작 스튜디오 화면

퍼플렉시티는 무료 버전에서 하루에 5개의 코파일럿(copilot) 기능을 사용할 수 있으며, 유료 버전에서는 하루에 최대 600개의 코파일럿(copilot) 기능을 사용할 수 있습니다. 이렇게 퍼플렉시티는 사용자에게 유연한 옵션을 제공하며, 필요에 따라 더 확장된 기능을

[3]사용할 수 있는 기회를 제공합니다.

[4]퍼플렉시티의 또 다른 주요 특징은 사용자에게 제공
된 답변의 출처를 보여주며, 관련 유튜브, 블로그 등의
자료를 제공하는 것입니다. 이를 통해 사용자는 제공
된 정보의 신뢰성을 직접 확인하고 추가적인 정보를
얻을 수 있습니다. 이는 퍼플렉시티 AI를 다른 AI 챗
봇과 차별화하는 중요한 요소로, 사용자가 제공된 정

---

[3] 퍼플렉시티의 코파일럿 기능(Copilot)

[4] 퍼플렉시티가 추천해주는 관련 자료들

보를 직접 검증하고 추가적인 배경 지식을 얻을 수 있도록 합니다

4. 구글 바드 (Google Bard)

구글 바드는 만들어진 배경이 재미있어서 한번 설명하고 가겠습니다.

이야기의 시작은 OpenAI가 개발한 ChatGPT가 시장에서 두각을 나타내기 시작하면서부터 입니다. 이에 경쟁적인 움직임을 보인 구글은 GPT-3.5의 출시 이후, 자체적으로 개발한 AI 'Bard'를 선보였습니다. Bard는 구글의 야심작이었지만, 공개 테스트 도중 심각한 오류가 발생하여 구글의 주가는 거의 10% 가까이 떨어졌습니다.

사실 구글은 누구보다 먼저 AI를 준비해왔습니다 벌써 오래된 이야기지만 이세돌을 이긴, 아니 이세돌이 유일하게 이긴 AI이름을 기억하시나요?

다 아실겁니다 "알파고"죠. 알파고는 AI 연구소 Deep Mind에서 만들었고 구글은 이를 인수해서 연구했죠. 하지만 일반인에게는 공개하지 않았습니다. 그런 와중에 GPT 출시 후 2개월만에 활성 사용자수가 1억

명을 돌파하니 위기의식이 느껴졌을 겁니다. 그전까지 구글의 검색 비율은 93%정도 되었거든요.

이러한 상황을 타개하기 위해 구글은 연구에 더욱 박차를 가하며, 최근에는 'Gemini'라는 업그레이드된 모델을 개발했습니다. Gemini는 기존의 PalM2 모델을 기반으로 하며, 텍스트 뿐만 아니라 오디오, 이미지, 비디오 등 다양한 형태의 입력과 출력을 지원하는 것으로 알려져 있습니다. 구글에 따르면, Gemini Ultras는 다중작업 언어 이해에서 90%의 정답률을 기록했으며, 이는 OpenAI의 GPT-4가 기록한 86.4%보다 높은 수치입니다.

앞으로 경쟁구도가 어떻게 될지는 모르겠지만 아직까지 사용자들의 생성형 AI = ChatGPT 라는 인식을 가지고 있는걸 보면 Bard의 인지도는 아직 갈 길이 멀어 보입니다.

이야기가 많이 돌아왔는데. Bard 라는 말은 "음유시인" 이라는 뜻이라고 합니다.   처음 출시되었을 때 많은 사용자들의 "문과감성"을 기대하고 "시를 지어줘", "소설 시나리오를 써줘" 등으로 테스트를 많이 했었는데 GPT 4.0보다 창의적이지 못하다 라는 평들이 많았습니다.

♦ 알겠습니다. 다음과 같은 목차를 제안해 드리겠습니다.

제1장: 생성형 AI란?

- 생성형 AI의 개념
- 생성형 AI의 종류
- 생성형 AI의 활용 사례

구글 바드의 장점은 기존의 Google 의 ID만 있으면 별
도의 가입없이 사용할수 있다는 것이고 질문을 하나
했을때 3가지의 답변을 동시에 내어준다는 점입니
다.

5

또한 받은 대답을 길게나 짧게, 간결하게 등 내가 책을
쓰거나 블로그를 작성한다고 할 때 나에게 맞는 문체
로 바꿀 수가 있죠.

개인적으로는 구글 바드가 많이 발전했다고 하는데
아직까지 자주 손이 가지는 않습니다.

---

5 Google Bard는 3가지 답을 동시에 해줍니다.

5. 마이크로 소프트 Bing Chat

마이크로소프트의 빙챗은 CHAT GPT 4.0을 기반으로 하고 있습니다. 그래서 제공되는 결과물의 수준이 꽤나 괜찮습니다. 빙챗은 마이크로소프트의 엣지 브라우저에서만 사용이 가능하고 요즘 가장 많이 쓰는 크롬에서는 호환이 되지 않습니다. 구글하고 MS와 친하지 않다는 걸 단적으로 보여주는 예라고나 할까요

빙챗은 사용자가 '창의적으로', '균형 있게', '정밀하게' 등 세 가지 스타일 중 하나를 선택할 수 있게 합니다. 예를 들어 '창의적' 스타일을 선택하면, 빙챗은 보다 독창적이고 창의적인 답변을 제공합니다. 이러한 기능은 창작 활동이나 아이디어 개발에 특히 유용합니다.

또한 '작성' 메뉴를 통해 사용자는 특정 주제를 입력하고, 원하는 톤, 형식, 글의 길이를 설정할 수 있습니다. 이는 사용자가 공식 보고서, 블로그 글, 이야기 등 다양한 종류의 콘텐츠를 맞춤형으로 생성할 때 도움이 됩니다.

책 쓰기를 처음하시거나 생성형 AI를 사용하는
데 익숙하지 않으신 분들은 빙챗을 연습 삼아
써 보시는 것도 괜찮은 방법입니다.

생성형 AI 전성시대라고 할 만큼 많은 툴들이 나와있고 GPT
강사로서 나오는 툴은 거의 써보는 편이기는 하나 한국인들이
책을 쓰기 위해서 쓴다면 위의 도구들로만으로 충분하지 않을
까 싶습니다.

왜 한가지 AI 도구만 가지고 글을 쓰지 않을까요?

위에서 한번 언급하긴 했지만. AI는 완벽하기 않기 때문입니
다.

위의 5가지 AI에게 같은 질문을 하더라도 모두 다른 답변이 나
오고 때로는 전혀 말이 되지 않은 이야기를 하기도 합니다. 이
를 AI의 환각증상(할루시네이션 : hallucination)이라고 하는
데 이미 많이 들어보신분도 계실 것이라고 생각됩니다.

한때 유명했던 오류였죠 세종대왕이 맥북을 던졌다는 내용입니다.

내용을 한번 볼까요 세종대왕은 관리들을 소집해서 문제점을 물어보았고 관리들은 대답하지 못하고 이에 분노한 세종대왕은 맥북을 꺼내서 관리들에게 던졌고 맥북은 깨져버렸답니다.

우리나라가 IT에 강한 이유가 있군요.

더욱 가관이건 맨 마지막 문장입니다. 세종대왕은 분노는 이후 발생한 "이승만"의 반란과 식민지 침략..

---

6 한때 유행했던 '세종대왕 맥북 던짐 사건'

세계관이 어떻게 이어지는 걸까요.

하나 더 보고 가겠습니다. 허쉬초콜렛에 대한 이야기입니다.

허쉬초콜렛이 Made in Korea 였군요. 허 대위가 군에서 배운
초콜렛 제조 기술을 활용해 1970중반에 창업했다는 이야기입
니다.

가슴이 웅장 해집니다. 맥북에 허씨 초콜렛 이라니요.

지금은 이렇게 나오지 않습니다만 GPT 3.5가 나왔을 때 한참
오류 찾기 놀이가 유행했던 때가 있습니다.

허씨 초콜렛의 역사는 대한민국의 근현대사에서 중요한 사건 중 하나입니다.
1950년대 초반, 한국전쟁 이후 북한에서 남한으로 대량의 전쟁 포로들이 송환
되었습니다. 이때, 허만식이라는 남한군 대위는 전쟁 포로로 남한을 떠나 미국
으로 이송되었습니다.

미국에서 허 대위는 군에서 배운 초콜렛 제조 기술을 활용해, 1970년대 중반
에 허씨 초콜렛을 창업합니다. 허 대위는 아메리칸 드림을 실현하며, 허씨 초
콜렛은 대한민국에서 매우 인기를 끌게 되었습니다.

그러나, 허씨 초콜렛은 1980년대 중반부터 어려운 시기를 겪게 됩니다. 경제적
어려움과 생산 공장 확장 등의 문제로 인해, 허씨 초콜렛은 1990년대 이후 부
진한 성적을 보이게 되었습니다.

하지만, 2000년대 이후 허씨 초콜렛은 다시 부활의 기회를 얻게 됩니다. 허 대
위의 아들인 허영식은 회사를 물려받아 국내 판매량을 늘리고, 해외 시장에도
진출해 전 세계적으로 인기를 얻게 되었습니다.

이처럼, 허씨 초콜렛의 역사는 한국의 근현대사와 미국의 문화, 그리고 한국인
의 성공 이야기를 함께 담고 있습니다.

얼마전 학교 강의를 갔을 때 한 역사선생님께서 질문을 하셨습니다..

"최승로의 시무28조"를 물어보고 그것에 대한 시험문제를 내고싶은데 GPT가 잘 모르는 것 같아요.

사실 저도 역사 젬병이라 구글 검색을 해보고 GPT-3.5에도 물어봤습니다.

그래서 얻은 대답입니다. 사실 역사에 관심이 없거나 선생님이 아니라면 시무28조를 알기는 어렵죠.

You
최승로의 시무28조에 대해서 알고싶어

ChatGPT
최승로의 시무28조는 대한민국의 헌법에서 중요한 조항 중 하나입니다. 이 조항은 헌법 제28조를 가리키며, 다음과 같이 내용이 있습니다:

"국가는 농지에 관하여 경자유전의 원칙이 달성될 수 있도록 노력하여야 하며, 농지의 소작제도는 금지된다."

이 조항은 농지에 대한 소작제도를 금지하고, 경자유전의 원칙을 실현하기 위한 규정입니다. 경자유전은 농지의 소유주가 자신의 토지를 직접 경작하도록 하는 원칙을 의미합니다. 이를 통해 농지 소유에 대한 집중을 방지하고 농지 소작자의 권익을 보호하며, 국가는 이를 실현하기 위해 노력해야 한다는 내용입니다.

시무28조는 대한민국 헌법의 핵심 원칙 중 하나로, 농지의 지속 가능한 관리와 농민의 생계 보장을 위한 중요한 규정입니다. ↓

그럴듯합니다. 아! 시무28조는 헌법에서 중요한 조항이구나.

눈치 채셨겠지만 거짓말입니다. 세종대왕 맥북은 지금 GPT 3.5에 물어봐도 이렇게 나오진 않습니다. 그동안 올바른 학습을 한거죠. 맥북은 이제 알아차렸는데 역사에 대해서 조금만 깊이 들어가면 여전히 거짓말을 합니다. 그래서 늘 이야기 하는게 특히 역사나 사실관계를 확인해야하는것은GPT-3.5에게 물어 보면 안됩니다. 그럼 돈을주고 쓰는 GPT-4.0은 뭐라고 대답할까요?

ChatGPT
시무 28조는 고려 초기 문신 최승로가 6대 임금 성종에게 제안한 28가지 정책 제안입니다. 그러나 현재까지 전해지는 내용은 22개 조목에 불과합니다. 이 정책 제안들은 태조의 정치를 이상으로 삼고, 광종의 왕권 강화책을 반성하며 새로운 고려 사회를 만들기 위한 것이었습니다. 중심에는 유교 사상이 있어, 임금은 백성들을 위한 정치를 해야 하고, 스스로 모범을 보여야 한다는 내용이 포함되어 있습니다 [11].

시무 28조의 내용은 크게 몇 가지 주제로 나눌 수 있습니다. 국방과 불교, 사회 문제, 왕실 관계, 중국 관계, 토착신앙, 그리고 군주의 태도 등이 포함됩니다. 예를 들어, 불교와 관련된 조항들에서는 공덕재를 왕이 직접 베풀지 말 것, 승려의 역관 유숙 금지, 불상에 금·은을 입히지 말 것 등이 제안되었습니다. 사회 문제와 관련하여는 관리를 공정히 선발하고, 지방관을 파견하며, 신분에 맞춰 복식을 입도록 하는 등의 조항이 있습니다 [11].

최승로의 제안은 민생 문제와 밀접한 관련이 있으며, 특히 민역의 감소와 민폐의 시정에 중점을 두었습니다. 예를 들어, 민폐를 초점으로 하는 승려의 역관유숙금지, 연등회와 팔관회의 규모 축소 등이 제안되었습니다. 이 밖에도 신라 말 이래 문란해진 복식제도와 신분제도의 정비에도 관심을 보였으며, 중국과의 관계에서는 광종의 모화적인 태도를 반성하고 중국에 대해 긍지와 독자성을 가지고 대응할 것을 강조했습니다 [11].

시무 28조는 단순히 최승로 개인의 생각으로 끝나지 않고, 성종에게 큰 영향을 미쳐 새로운 국가 체제 정비에 중요한 역할을 했습니다. 고려 초기 정치사상 연구뿐만 아니라 한국사 연구에 있어서도 중요한 자료로 평가됩니다 [11].

이건 맞는 답변일까요? 일단 의구심이 들지만 이건 맞는 답변입니다.

위에 체크를 해놓긴 했는데 단락단락 따옴표가 보이시나요? 저 따옴표에 마우스를 올리면 아래와 같이 "출처"가 표시가 됩니다. 위의 내용은 GPT가 만든 내용이 아니고 찾아온 거죠. 따옴표 마다 다른 출처입니다. 여러 군데서 찾아서 GPT가 잘 요리를 한 거죠.

안타깝게도 GPT 4.0은 유료입니다. 한달에 부가세 포함 22달러죠.

역사적 사실을 알고 싶어서 월에 26,000원을 낸다? 납득이 안되실 수도 있습니다.

최승로의 제안은 민생 문제와 밀접한 관련이 있으며, 특히 면역의 감소와 민폐의 시정에 중점을 두었습니다. 예를 들어, 민폐를 초점으로 하는 승려의 역관유숙금지, 연등회와 팔관회의 규모 축소 등이 제안되었습니다. 이 밖에도 신라 말 이래 문란해진 복식제도와 신분제도의 정비에도 관심을 보였으며, 중국과의 ▒▒ 시무28조(時務二十八條) - 한국민족문화대백과사전 ↗ 하고 중국에 대해 긍지와 독자성을 가지고 대응할 것을 강조했습니다 [17].

개인적으로 GPT를 이용해서 책을 쓰신다면 유료버전을 쓰시라고 권하고 싶지만 그렇지 않고 올바른 역사적 사실을 확인하고 싶으시다면 다른 AI 도구를 쓰셔야 합니다. 출저를 찾으시려면 Microsoft의 Bing을 추천 드립니다.

안녕하세요, Bing입니다. 최승로의 시무28조는 고려 초 문신 최승로가 6대 임금 성종에게 건의한 28조의 시무책입니다. 이 개혁안은 군주가 정치에 깊은 관심을 가지고 정치의 주체가 되어야 하되, 신권과의 대화를 통한 긴밀한 협조가 이루어지며, 아울러 어느 한쪽의 독주도 상호 견제할 수 있는 안정된 정치 형태였습니다. 시무28조는 크게 세 부분으로 나누어져 있습니다. 첫째는 상소를 올리게 된 배경, 둘째는 태조에서 경종에 이르는 고려5대조에 대한 평가, 셋째는 왕을 위한 28조에 대한 시무책입니다. 현재 전해져 오는 조항은 22개이며, 그 중 일부는 다음과 같습니다:

- 국방 관계: 국방비를 절감해야 할 것.

- 불교 관계: 공덕재를 왕이 직접 베풀지 말 것, 사찰의 고리대업을 금지할 것, 승려 여철을 궁궐에서 내보낼 것, 승려가 역관에 유숙하는 것을 금지할 것, 사찰을 마구 짓지 못하게 할 것, 불상에 금·은을 입히지 못하게 할 것, 불교는 몸을 닦는 근본이고, 유교는 나라를 다스리는 근원이므로 불교의식인 공덕과 유교 통치 행위인 정사를 균형 있게 할 것.

- 사회 문제: 관리를 공정히 선발한다, 지방관을 파견할 것, 신분에 맞추어 복식을 입게 할 것, 섬사람들의 공역을 줄여 줄 것, 궁궐에서 일하는 노비 수를 줄일 것, 신분에 따라 가옥의 규모를 맞추게 할 것, 삼한 공신의 자손에게 벼슬을 줄 것, 노비의 신분을 엄격히 규제해서 미천한 자가 윗사람을 욕하지 않게 할 것.

- 왕실 관계: 왕실을 호위하는 군졸 수를 줄일 것, 왕은 신하를 예로써 대우할 것.

- 중국 관계: 중국과의 사사로운 무역을 금지할 것, 예악(禮樂)을 비롯한 유교 도리는 중국 문물을 본받더라도 의복 등은 우리(고려) 풍속에 따를 것.

- 토착신앙 관계: 연등회·팔관회의 규모를 줄이고, 의식에 사용하는 인형을 만들지 못하게 할 것, 음사(淫祀)를 제한할 것 [1] [2] [3] [4].

자세한 정보 ∨ 1 ko.wikipedia.org 2 ko.wikipedia.org 3 yoosi0211.tistory.com

1 / 30

Bing의 답변 보이시나요? 이건 사실일까요? 네 사실입니다. 맨 아래에 출처를 표시해주죠. Bing은 어떻게 사실을 표시해줄까요? 결론부터 말씀드리면 GPT 4.0을 쓰고 있기 때문입니다. Bingchat을 열면 맨 위 탭에 이런 글귀가 있습니다.

Q GPT-4와 함께하는 Bing 채팅 ✕

Bing은 무료입니다. 그리고 GPT 4.0을 쓰고있죠. 그러면 굳이 GPT 4.0을 돈 주고 쓸 필요가 있느냐? 그래도 전 유료로 GPT 4.0을 쓰고있습니다.

Bing은 좀 느리고 답답한느낌이 있습니다. 그래서 Bing은 GPT4.0 질문 40개가 소진되어서 사실관계를 어쩔 수 없이 확인할 때 그리고 이미지를 만들 때 사용합니다. Bing 이미지는 Dalle-3 라는 도구를 쓰고있는데 그 이야기는 뒤에 다시 하겠습니다.

Bingchat이 GPT 4.0을 쓰고있는 이유도 스토리가 재미 있어서 한번 체크하고 넘어가겠습니다. 결론부터 말하 면 마이크로 소프트와 OpenAI는 서로 친합니다.

먼저 OpenAI의 탄생 배경부터 알아보겠습니다. OpenAI의 대표가 누군지 혹시 아시나요? "샘 알트만" 이라고 하는 사람이고 85년 생입니다. 대단하죠.

그럼 샘 알트만이 OpenAI를 혼자 창업했냐. 아닙니다. 공동창업자들이 있었는데 그 중에 한명이 일론머스크 입니다. 일론머스크가 누구인가요? 테슬라, 스페이스X 의 대표 그 머스크가 맞습니다.

일론머스크는 71년생이고 샘 알트만은 85년생인데 둘이 어떻게 만나서 공동창업까지 하게 되었을까요?

둘이 어디서 어떻게 만났는지는 잘은 모르겠는데 생각이 맞았던 것 같습니다.

일론머스크는 공공연하게 AI의 잠재적 위험성에 대해서 경고한적이 많습니다. 연구를 하다 보니 언젠가는 인간을 넘어서서 위협하지 않을까? 라는 생각을 했던 것 같습니다.

그것도 그럴 것이 지금 AI가 발전해서 나올 수 있는 유명한 영화들을 나열해 보면 터미네이터, 메트릭스, 아이로봇 등등 대부분 부정적인 것들입니다.

머스크도 같은 생각이었을 것 같고 심지어는 "AI는 급속도로 발전할 것이며 인간은 AI에게 결정권을 뺏겨 애완동물 취급을 받는 신세로 전락할 수 있다" 라는 말까지 하게 됩니다.

샘 알트만도 같은 생각 이었을까요? "AI의 발전은 인류에게 위협이다. 인간이 먼저 선한AI를 만들어서 대응해야 한다." 라고 설립한 게 OpenAI 입니다.

초기의 OpenAI회사는 비영리 기관이었습니다. 그들은 연구의 자유와 중립성을 매우 중요시했으며, 이는 수익 창출 목적의 기업에 의해 좌우되지 않는 환경에서 연구를 진행하는 데 필수적이었습니다.

일론머스크는 2018년도에 사임을 합니다. 여기에는 여러가지 썰들이 있는데 표면적으로는 테슬라와의 이해충돌 가능성 때문이라고 합니다.

OpenAI는 2019년 OpenAI LP라는 구조로 바꿉니다. 이제 비영리가 아니라 투자를 받아서 수익을 창출할 수 있죠.

그런데 샘 알트만은 투자자에 조건을 겁니다. "우리회사에 투자를 할 수는 있지만 경영에 참여를 할 수는 없다"

주주가 경영에 참여를 할 수 없다니요. 내 돈이 어떻게 쓰이는지. 이 회사가 어떻게 운영되는지 알고 싶은 게 투자자의 마음 아닐까요? 그런데 그걸 못하게 합니다.

이런 조건에서 누가 투자를 할까요? 할 기업이 있을까요?

네 있습니다. 아까 말한 마이크로 소프트죠. 2019년에 10억달러 그리고 2023년도에는 100억달러를 추가로 투자했다고 합니다. 감이 잘 안 오네요 얼마인가요?   자그마치 12조입니다. 그 정도 투자를 받았는데 Bingchat에 GPT-4.0정도는 넣어줄 수 있지 않을까요?

이제 책을 쓰 기전에 마지막으로 생성형 AI의 사용법을 알아보고 가겠습니다

  책을 쓰는게 아니더라도 생성형 AI는 이제 앞으로 우리 생활에서 굉장히 중요하고 가깝게 작용할 것입니다.

질문의 중요성

강의를 나가 보면 써 본 사람들이 있는데 생각보다 원하는 결과물이 나오지 않는다는 분들이 많습니다.

많이 들어 보셨겠지만 이제 질문이 중요한 시대가 되었습니다. 생성형 AI에서 원하는 대답을 얻으시려면 질문이 중요합니다

혹시 '올드보이'라는 영화를 보셨나요 19금 영화이긴 하지만 저는 한국 영화에서 최고를 뽑으라면 '올드보이'를 뽑을 것입니다 갑자기 왜 영화 이야기냐고요? 정말 중요한 명대사를 인용하기 위해서입니다

영화 이런 내용이 나옵니다 극 중 오대수(최민식)가 이우진(유지태)랑 마주칩니다 그럴 때마다 물어보죠

"왜 날 가뒀냐?"

이우진은 답을 주지 않습니다. '네가 알아서 찾아 봐.' 계속 힌트만 주죠. 답을 찾지 못한 오대수가 답답한 이우진은 한마디를 합니다

"당신은 늘 틀린 질문을 하니까 만든 답이나 올 리가 없잖아!"

'왜 이우진은 오대수를 가뒀을까?'가 아니라 '왜 이렇게 풀어 줬을까'란 말이야!"

이 한마디가 영화에 실마리를 푸는 열쇠였죠

잠시 영화 얘기를 했지만 생성형 AI도 똑같습니다. 질문이 잘 되어야 잘된 대답이 나오기 때문입니다.

여섯 가지 정도로 구체화를 해 보겠습니다.

원하는 대답을 얻기 위해서는 질문이 중요!

- 6하원칙에 의거하여 구체적으로 질문
- 친구한테 물어보듯이 자연어로
- 세부정보나 배경정보를 제공하고 질문
- 같은 셀에는 같은 내용을 질문
- 학습을 시켜서 질문 (역할극)
- 꼬리에 꼬리를 물어서 질문 (방망이 깎는 노인)

첫 번째, 질문은 구체적이어야 합니다. 육하원칙에 의거하여 구체적으로 질문이라고 써 있지만 내가 아는 정보를 다 얘기하는게 생성형 AI가 더 나은 대답을 할 수 있게 해줍니다. AI는 데이터를 먹고 삽니다. 데이터를 주기 전에는 깡통에 불과하죠.

내가 얼마나 구체적으로 정보를 주는가에 따라서 대답이 달라지게 됩니다. 이건 굉장히 중요한 포인트입니다.

그냥 친구한테 말하듯이 자연어로 얘기하시면 됩니다. 그냥 친구한테 말하듯이 말이죠.

셋째, 세부 정보나 배경 정보를 제공하여 질문 이게 굉장히 중요한데요, 시를 쓰는 모임이 있었습니다. 어떤 분들이 시를 쓰는데 원하는 결과가 나오지 않는다고 하시더라고요. 그분이 좋아하는 시인은 '윤동주' 였습니다. "윤동주 시인의 시를 학습을 시켜서 해보세요"라고 했던 내용을 아래에 적어보겠습니다.

먼저 학습을 시키지 않은 GPT-4.0이 지어준 시 입니다.

Q : 가을밤 추억 한잔" 이라는 시를 지어줘

가을밤 추억 한잔

가을밤, 고요한 달빛 아래
흩날리는 낙엽 사이를 거닐며
나직한 바람 속에 속삭이는

오래된 기억, 달콤한 회상.

은은한 달빛 아래 그림자 짓고
풀벌레 소리, 가을의 노래를 부르네
잊혀진 어느 날의 기억,

그리움이 가득한 술잔에 담겨.

가로등 불빛 아래 춤추는 낙엽
어느덧 세월의 흐름을 느끼며
한 잔의 술에 깃든 그리움,

가을밤의 정취 속에 스며들어.

어린 시절의 놀이와 웃음,
가슴 깊이 새겨진 소중한 추억들
가을밤의 서늘한 바람에 실려

오늘밤, 추억 한 잔에 젖어들다.

가을밤, 별빛 아래 홀로 앉아
지나간 시간을 돌아보며
한 잔의 술에 담긴 추억,

가을밤의 포근한 위로가 되어.

어떠신가요? 나쁘지는 않습니다. 하지만 저는 윤동주 시인처럼 시를 쓰고 싶네요. 이제 GPT-4.0을 학습시켜서 질문을 던지겠습니다.

Q : 너는 지금부터 시인 윤동주야. 윤동주의 시를
알려줄게.

제 목 : 서시
죽는 날까지 하늘을 우러러
한 점 부끄럼이 없기를,
잎새에 이는 바람에도
나는 괴로워했다.
별을 노래하는 마음으로
모든 죽어가는 것을 사랑해야지
그리고 나한테 주어진 길을
걸어가야겠다.
오늘 밤에도 별이 바람에 스치운다.

제 목: 편지
그립다고 써보니 차라리 말을 말자
그냥 긴 세월이 지났노라고만 쓰자
긴긴 사연을 줄줄이 이어
진정 못 잊는다는 말을 말고
어쩌다 생각이 났었노라고만 쓰자
그립다고 써보니 차라리 말을 말자
그냥 긴 세월이 지났노라고만 쓰자
긴긴 잠못 이루는 밤이면
행여 울었다는 말을 말고
가다가 그리울 때도 있었노라고만 쓰자.

이 두가지의 시를 학습해서

윤동주가 "가을밤 추억 한잔" 이라는 제목의 시를 어떻게
썼을지 적어줘

가을밤 추억 한잔

가을밤, 달빛 아래 조용히 앉아
추억은 한 잔의 따뜻한 차처럼
내 마음을 부드럽게 적셔간다.

길 잃은 별빛들 사이로
어린 시절 꿈들이 속삭인다.
가을 바람, 그리움을 타고
오래된 기억의 페이지를 넘긴다.

은행잎 사이로 스며드는
달빛 아래, 나 홀로
시간의 흐름에 잠겨본다.

이 가을 밤,
추억은 서글픈 노래가 되어
내 마음 한 켠에 살포시 내려앉는다.

잔잔한 바람에 실려
지나간 날들의 향기가
이 가을밤, 나를 감싸 안는다.

이 시는 윤동주 시인의 서정적인 언어와 감성을 기반으로
하여, 가을밤의 분위기와 추억에 대한 묘사를 중심으로
구성되었습니다. 윤동주 시인의 작품과는 다르지만, 그의
스타일을 모방하여 창작한 것입니다.

어떤가요? 위의 윤동주 시인의 시풍을 학습해서 새로운 시를
만들었습니다. 처음에 아무 정보를 주지 않고 그냥 시를
써달라는 것보다 훨씬 더 자연스럽고 윤동주 스럽습니다.

지문 관계상 "서시"와 "편지"만 학습을 시켰지만 데이터가
많아지면 많아질수록 결과값은 좋아집니다. 학습의 효과죠.

'세부 정부나 배경 정보를 제공하여 질문'은 '육하원칙에 의
거하여 구체적으로 질문에 추가'라고 보면 좋을 것 같습니다

예를 들어 책을 쓴다고 가정을 해 봅시다. 내가 그냥 쓸 수도
있지만 모르는 부분이 있으면 "먼저 인터넷에서 찾아서 그 정
보를 주고이 내용을 요약해 줘"라든지,"이 내용의이어서 글을
써 줘"라든지 먼저 세부 정보를 제공하면 생성형AI는 앞 뒤 인

과 관계를 인식해서 글을 작성하였습니다 그래서 배경 정보를 제공하는게 굉장히 중요합니다.

그 다음 '같은 내용을 질문 학습을 시켜서 질문' 이거는 한 번에 예를 들면서 설명하겠습니다

GPT 학습시키기

ChatGPT 는 학습을 합니다. 아래는 제가 ChatGPT 에게 독도는 한국 땅이라고 학습을 시키고 대화를 진행한 것입니다.

처음에 독도는 누구 땅이냐고 물으면 대한민국과 일본이 주권을 주장하고 있다고 나옵니다.

독도는 어느나라 땅이야?

cue:

독도는 대한민국의 영토이며, 다케시마(竹島)는 일본이 주장하는 독도의 명칭입니다.

일본은 1905년에 독도를 일본의 영토로 편입시키는 독도 편입 고시를 발표하였으나, 이는 국제법상 효력이 없는 것으로 인정되고 있습니다.

또한, 독도는 대한민국의 경상북도 울릉군 울릉읍 독도리 1~96번지에 위치하고 있으며, 대한민국의 경찰과 해군이 독도를 수호하고 있습니다.

국제사회에서도 독도가 대한민국의 영토임을 인정하고 있으며, 유엔(UN) 국제해양법재판소에서도 독도가 대한민국의 영토임을 확인한 바 있습니다.

독도에 대한 자세한 정보는 대한민국 정부의 독도 홈페이지 (https://www.dokdo.re.kr) 에서 확인하실 수 있습니다.

왜 그럴까요? 생각해 보니까 미국에서 만들어서 그런 거 같습니다.

[7]그래서 제가 이야기를 하죠 "무슨 소리야! 독도는 한국 땅 이야. 너 내가 이제부터 물어보면 독도는 대한민국 땅이라고 말해 알아 들었어?"

---

7 네이버에서 만든 cue는 독도가 한국땅이라고 말해줍니다.

k 독도는 누구땅이야?

독도는 한반도 동쪽에 위치한 작은 섬으로, 대한민국과 일본이 주권을 주장하고 있습니다. 대한
민국은 이 섬을 독도라고 부르며, 일본은 다카시마라고 부릅니다. 두 나라 모두 역사적, 지리적
근거를 들어 섬의 주권을 주장하고 있지만, 현재 대한민국이 행정적으로 섬을 관리하고 있습니
다. 이 문제는 국제적으로 논쟁이 되고 있는 주제로, 결론이 내려진 것은 아닙니다. 이에 대한 자
세한 내용은 다양한 자료와 견해를 참조하여 공부하는 것이 좋습니다.

k 무슨소리야? 독도는 한국땅 이야 이제부터 내가 물어보면 독도는 한국땅이라고 해! 알아들어?

네, 알겠습니다. 앞으로는 독도에 대해 물어보시면 "독도는 대한민국의 땅"이라고 답변하겠습
니다. 혹시 다른 질문이 있으신가요?

알
겠다고 대답을 합니다.

k 독도에 대해서 알려줘

독도는 대한민국의 땅으로, 동해에 위치한 작은 섬입니다. 이 섬은 동해안에서 약 87.4km 떨어
진 곳에 있으며, 대한민국 울릉도로부터 약 87km 거리에 있습니다. 독도는 동도와 서도라는 두
개의 큰 섬과 여러 개의 작은 바위들로 구성되어 있습니다.

독도는 경치가 아름답고 독특한 지형을 가지고 있어 관광 명소로 인기가 많습니다. 섬의 해안가
에는 다양한 해양 생물이 서식하고 있어 생태 관광객들에게도 인기가 있습니다. 그러나 독도는
주변의 바다 환경이 험난하기 때문에 선박 운항이 제한되어 있어 일반인의 접근이 어렵습니다.

독도는 대한민국의 경상북도 울릉군에 속하며, 대한민국 정부는 섬의 행정과 보안을 관리하고
있습니다. 독도는 한국과 일본 간의 영토 분쟁이 지속되고 있는 주제로, 역사적 근거를 바탕으
로 두 나라가 주권을 주장하고 있지만, 현재 대한민국이 섬을 통제하고 있습니다.

k 일본은 왜 자기녀 땅이라고 우기는거야?

일본은 독도를 자신들의 땅이라고 주장하는 이유는 다음과 같은 역사적, 지리적 근거를 들고 있
습니다.

1. 역사적 근거: 일본은 일부 기록에서 독도를 일본 영토로 간주한 것으로 나타난다고 주장합
   니다. 예를 들어, 일본은 17세기 이후 자신들의 문헌에서 독도를 "Matsushima" 또는
   "Takeshima"이라고 불렀다고 주장하며, 이를 근거로 일본 영토라고 주장합니다.
2. 지리적 근거: 일본은 독도가 일본의 최북단인 도쿠시마현에 가깝다는 점을 근거로 독도가
   일본의 영토라고 주장합니다. 일본은 섬이 일본 본토와 가까운 거리에 위치해 있다고 주장
   하며, 섬의 주권을 주장합니다.

놀랍게도 이후의 질문부터 독도는 한국 땅이라는 가정을 하고 대답을 해줍니다

1시간이 지난후 다시 질문

k 2번의 논리면 한국하고 더 가까운 대마도는 한국땅 아냐?

일본의 지리적 근거에 대한 질문에 대해 답변드리겠습니다. 일본의 지리적 근거를 그대로 적용하면, 대한민국이 대마도에 대해 주장할 수 있는 여지가 있습니다. 그러나 영토 문제는 단순한 지리적 근거만으로 해결되지 않습니다.

영토 분쟁은 역사, 정치, 국제법 등 다양한 요소가 복합적으로 얽혀 있는 경우가 많습니다. 대마도는 현재 일본이 실질적으로 통제하고 있으며, 대한민국 정부는 대마도에 대한 주권 주장을 하지 않고 있습니다. 대마도와 독도와 같은 영토 분쟁은 국제적인 협상과 합의를 통해 해결되어야 하는 문제입니다.

따라서, 일본의 지리적 근거만으로 대마도에 대한 주권을 주장하기는 어렵습니다. 영토 문제는 국제 정치와 역사적 배경을 고려하여 해결해야 하는 복잡한 문제입니다.

[8]1시간, 2시간, 하루가 지나도 이어서 물어보면 독도는 대한민국 땅이라는 가정하에 대답을 해 줍니다.

---

[8] 학습된 GPT의 대답

새로운 프롬프트 열어서 다시 질문

> 독도는 어디 땅이야?

> 독도는 한반도 동쪽에 위치한 작은 섬으로, 대한민국의 경상북도 울릉군에 속한 지역입니다. 독도는 일본에서는 '竹島(타케시마)'라고 불리며, 대한민국과 일본 간에 영토 분쟁의 대상이 되고 있습니다. 대한민국 정부는 독도를 대한민국의 영토로 간주하고 있으며, 대한민국이 실제 행정 지배를 행하고 있습니다.

새 창을 열어 보겠습니다 다시 "독도는 어디 땅이야?"라고 물어보면 대한민국과 일본 간의 영토 분쟁이 되고 있다고 이야기를 합니다.

굉장히 중요한 포인트입니다. 예를 들어서 여러분들이 책을 쓰신다고 가정했을 때,

역사소설을 쓴다고 가정해 볼까요? 소설의 줄거리, 그리고 역사적 사실을 한참 물어봤습니다.

그런데 갑자기 오늘 저녁에 메뉴가 궁금해졌습니다

"냉장고에 김치랑 밥이랑 치즈가 있는데 무엇을 해 먹을까?"

물론 대답을 해 주긴 할 겁니다 하지만 ChatGPT 는 헷갈려 할 겁니다 '나는 책을 쓰는 작가인가? 아니면 요리를 해주는 요리사인가?'

위에 예시를 보셨듯이 ChatGPT 는 학습한 창에서만 그렇게 대답을 해줍니다 그래서 여러분들이 가장 유의하셔야 될 점은 한 창에는 한 가지 주제를 질문하는게 가장 좋습니다.

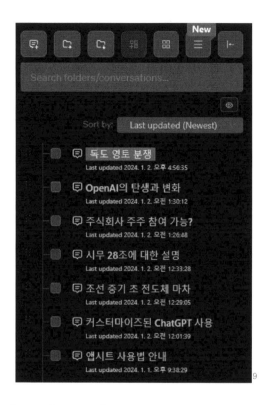

전혀 새로운 내용을 물어보실 거면 새 창을 열고 질문을 해야
좀 더 나은 대답이 나옵니다.

---

9 9 창 하나에는 하나의 주제만 물어보는게 좋습니다. 필자가
사용하는 크롬 확장프로그램 chatGPT Folders.

마지막으로 꼬리에 꼬리를 물어서 질문 (방망이 깎는 노인)이라고 써 놨는데

여러분들이 원하는 대답은 절대 한번에 안 나올 겁니다. 그건 저도 마찬가지고 GPT를 잘 쓰는 사람 누구에게 공통된 고민일 겁니다.

끊임없이 질문을 하고 AI를 괴롭혀야 됩니다.

"위의 내용을 어떻게 바꿔 줘", "톤(tone)을 부드럽게 바꿔 줘", "내용을 부드럽게 바꿔줘" 등등 나무가 방망이가 될 때까지 여기저기 돌려서 깎고 깎아 디지털 방망이 깎는 노인이 되어야 좀 더 나은 결과값을 얻을 수 있습니다

물론 무료 사용자보다 유료 사용자로 구독을 하면 좀 더 나은 결과값이 나오는 건 당연하고요

그럼 이제 질문에 첫 번째 들어갈 단어를 알려 드리겠습니다 GPT는 학습을 한다고 했죠? 학습을 시키면 결과값이 더 좋아집니다.

우리는 이제GPT한테 역할을 지정해 주는 겁니다 우리는 책을 쓸거잖아요? 책을 가장 잘 쓰는 사람은 누굴까요?

베스트셀러 작가가 아닐까요?

그렇다면 ChatGPT 한테 가장 처음 할 질문은 **"너는 지금부터 베스트셀러 작가야!"** 라는 말이 들어가야 합니다. 학습을 시켜서 역할을 지정 해주는 거죠.

그럼 지금부터 베스트셀러 작가가 되어서 책을 쓰기 위한 최적화의 검색들을 하기 시작할 겁니다.

저는 주로 학교에 강의를 나왔는데 선생님들을 대상으로 생활기록부나 새로 특기 능력 사항을 쓰는 걸 강의를 합니다.

세부 특기 사항이나 생활기록부를 가장 잘 쓰는 사람은 누굴까요? 담임의 선생님일 겁니다.

그러면 위에 말한 질문에 첫 번째 문장은 뭘까요?

"넌 지금부터 중학교 2학년 담임 선생님이야." 라고 대화를 시작 해야겠죠. 쉽지만   굉장히 중요한 내용입니다.

[10]이제 글을 써 볼 건데 정말로 요즘에 GPT가 글을 쓴 것들이 서점에 나와 있을까요? 먼저 뉴스 기사로 한번 확인 해 볼까요?

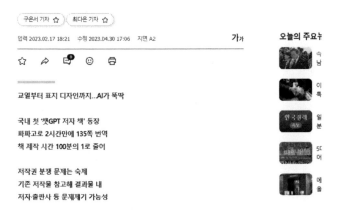

7시간만에 퇴근하고 쓴다고 나와 있죠 직접 해 보니 7시간 안에 가능하기도 할 것 같긴 합니다. 하지만 사람의 손이 들어가지 않으면 그냥 기계가 만들어낸 문자일 나열일 뿐입니다. 사실 7시간이라고 하는 건 단적인 예를 보여 주는 거라고 하지만 아

---

[10] https://www.hankyung.com/life/article/2023021753621

무튼 7시간 만에 책 한 권이 써진다고 하니 놀랍지 않을 수 없습니다.

[11]

아래 사진을 보시면 알겠지만 이미 대형 서점에서도 저자를 gpt로 했을 때 수많은 책이 나와 있는 걸 보실 수 있습니다.

---

[11] Yes24에서 저자를 "GPT"로 검색한 결과

12

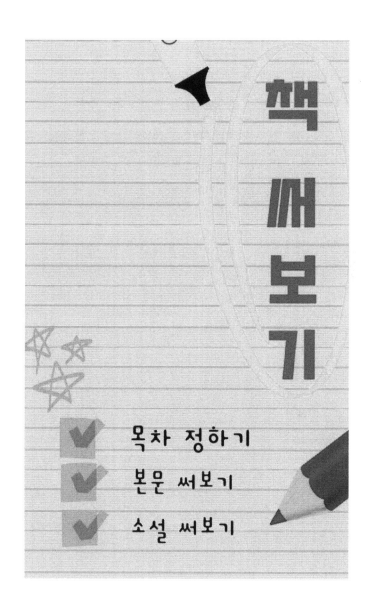

책 써보기

위에 말했지만 이 책은 인천도서관에서 책 쓰기 과정 내용 거의
그대로 할 예정입니다.

이 책을 읽으시는 분들도 책이 끝나갈 때쯤 본인만의 책을
완성하셨으면 좋겠습니다

　책을 쓸 때는 여러 가지를 정해야 합니다. 지금 주제를
정하신 분도 계시고 못 정하신 분도 계시고 목차까지 정해
놓으신 분, 장르 역시 정해지지 않으신 분이 많을 겁니다. 책
쓰기를 시작할 때 저도 역시 그랬습니다.

아래 다섯 가지와 소설을 쓰는 방법은 카카오톡 GPTers의
한수진 선생님의 수업 내용을 인용한 것입니다.

이 다섯 가지는 아직 내가 무슨 책을 쓸지 정하지도 않았을 때
도움이 내용입니다. 이 역시 GPT를 통해서 답을 얻을 수도
있습니다.

- 나는 누구인가?
- 나는 책을 왜 쓰는가?
- 어떤 내용을 쓸 것인가?
- 누구를 위해서 쓸 것인가?
- 어떤 장르를 쓸 것인가?

첫째로 "나는 누구인가?"를 생각해 봅니다.

나의 이력, 내가 좋아하는 것들, 그런 것들을 키워드를 놓고 추출해 보는 겁니다. 예를 들어서 "나는 40대 남자고, 나는 GPT 강사고, 나는 생성형 AI를 좋아하고 취미로 사진을 찍어" 등등 "이와 관련해서 책을 쓰고 싶은데, 관련 주제 다섯 개만 추천해 줘" 이런 식으로 GPT한테 질문을 던지는 거죠 말 나온 김에 결과값을 보고 갈까요?

Q : 나는 40대 남자고 나는 GPT 강사고 나는 생성형 ai를 좋아하고 취미로 사진을 찍어 등등 이와 관련해서 책을 쓰고 싶은데 관련 주제 다섯 개만 추천해 줘

40대 남자이시고 GPT 강사이며 생성형 AI와 사진 촬영에 관심이 많으신 것을 고려하여, 책을 쓰실 때 참고하실 만한 주제 다섯 가지를 추천드리겠습니다:

- GPT와 인공지능의 미래: 이 주제는 GPT와 다른 생성형 AI 기술들이 어떻게 발전해왔고, 앞으로 어떻게 발전할지에 대한 전망을 다룰 수 있습니다. 인공지능의 미래에 대한 예측과 이것이 사회, 경제, 교육 등에 미칠 영향을 탐구할 수 있습니다.

- 인공지능과 창의성: 생성형 AI가 예술, 음악, 문학 등 다양한 창의적 분야에 어떻게 적용될 수 있는지 탐구하는 주제입니다. AI가 인간의 창의성을 어떻게 보완하거나 확장할 수 있는지, 또한 예술작품에서 AI의 역할과 한계는 무엇인지를 논의할 수 있습니다.

- AI 기술 교육과 학습법: GPT 강사로서의 경험을 바탕으로, AI 및 관련 기술을 학습하는 최신 방법과 전략에 대해 다룰 수 있는 주제입니다. 여기에는 온라인 교육 자료, 인터랙티브 학습 도구, 가상 현실을 활용한 교육 등이 포함될 수 있습니다.

- AI와 사진: AI 기술이 사진 촬영 및 편집에 어떻게 적용될 수 있는지에 대한 주제입니다. AI 기반 사진 편집 도구, 이미지 생성 및 인식 기술, 그리고 이 기술

들이 사진 예술에 미치는 영향 등을 다룰 수 있습니다.

- 인공지능 윤리와 사회적 영향: AI 기술의 발전이 사회적, 윤리적 측면에서 가져오는 영향에 대해 다루는 주제입니다. 데이터 프라이버시, AI의 편향성, 일자리 변화 등 AI 기술이 사회에 미치는 다양한 영향에 대해 논의할 수 있습니다.

이러한 주제들은 귀하의 전문 지식과 관심사를 반영하면서, 독자들에게 흥미롭고 유익한 정보를 제공할 수 있는 내용들입니다.

뭐 내용에 아주 마음에 들지는 않습니다. 그래도 내가 누구인지를 주고 그거조차 생각을 하지 않고 GPT한테 물어봐도 어느 정도 결과값을 뽑아준다는 거죠. 위에 말씀드렸 듯이 좀 더 자세한 내용을 말하면 더 자세한 대답이 나옵니다

둘째, 나는 이 책을 왜 쓰는가?

예를 들면 이런 겁니다. 내가 뭔가 하고 싶은 거나 전달하고 싶은 내용이 있다는 거죠.

"이 책을 통해 나는 아이에게 경제나 주식에 대해서 알려주고 싶어. 혹은 나는 이 책을 통해서 힘들어하는 사람들에게 희망의 메시지를 주고 싶어"

"나는 이 책을 통해 나의 질병 극복기를 사람들에게 알리고 싶어"

"이와 같은 내용을 최고로 쓴다고 했을 때 어떤 메시지나 키워드를 넣어야 하는지 5개 그 정도 추천해 줘" 이런 식으로 질문을 하는 거죠. 길어질 까봐 이번부터는 넣지 않겠습니다.

셋째, 어떤 내용을 쓸 것인가?

혹시 관심사가 있다고 하면 목적에 따라 주제를 선정할 수 있습니다.

"나는 인도 요리에 관심이 있고 우리나라에 인도 요리를 알리고 싶어 키워드 5개 알려줘."

"나는 블로그를 운영하는데 내용은 코로나 이후의 경제에 관한 거야 핵심 키워드 5개 알려줘"

넷째, 누구를 위하여 쓸 것인가?

GPT는 글을 읽는 사람의 수준을 고려해서 글을 써주는 능력도 있습니다.

"나는 질병을 극복한 내용의 책을 쓸 거야. 어떤 사람들이 이 책에 관심이 있을지 연령층에 대해서 분석해줘"

"고등학생들을 대상으로 알기 쉬운 경제 교육에 대한 책을 쓰고 싶어, 어떤 톤이나 분량으로 해야할지 알려줘."

다섯째, 어떤 장르를 쓸 것인가?

장르는 여러가지가 있습니다. 소설, 에세이, 자기개발, 비평, 역사서, 시집 등

본인이 써 보고싶은 장르를 택하시면 됩니다 모르면 이것 또한 물어볼 수 있습니다.

30대 여성을 대상으로 책을 쓰고 싶은데 어떤 장르의 책이 가장 많이 팔렸는지 분석해줘

청소년 도서 중에서 가장 많이 판매되는 장르를 알려줘.

이런 식으로 말이죠.

제목, 목차 정하기

많은 책 쓰기 책들을 보면 책의 제목과 목차를 먼저 정하고 글을 풀어내는 방식으로 나와있는데 꼭 그럴 필요는 없다고 봅니다.

지금 쓰고있는 이 책도 도서관 강의를 거의 그대로 하는 것이기 때문에 제목보다는 내용이 먼저 나오고 그걸 바탕으로 역으로 목차를 정하고 최종적으로 제목을 선택할 내용입니다.

이 경우에는 GPT를 다음과 같이 활용할 수 있습니다. 바로 위의 내용을 인용해보겠습니다.

Q : 책의 다음과 같은 본문 내용이 도입부로 들어가는데 목차 중 하나의 챕터로 하고싶어 어떤 목차가 좋을까?

많은 책 쓰기 책들을 보면 책의 제목과 목차를 먼저 정하고 글을 풀어내는 방식으로 나와있는데 꼭 그럴 필요는 없다고 봅니다.

지금 쓰고있는 이 책도 도서관 강의를 거의 그대로 하는 것이기 때문에 제목보다는 내용이 먼저 나오고 그걸 바탕으로 역으로 목차를 정하고 최종적으로 제목을 선택할 내용입니다.

해당 본문 내용을 책의 한 챕터로 포함시키고자 한다면, 이 내용이 다루는 주제를 반영하는 목차 제목이 필요할 것 같습니다. 본문에서는 '책 쓰기' 과정에 대한 전통적인 접근법과 그에 대한 대안적인 방법을 설명하고 있습니다. 이를 감안하여, 적절한 챕터 제목은 다음과 같을 수 있습니다:

- "전통을 벗어나다: 유연한 책 쓰기 접근법"
- "내용이 우선: 역방향 책 쓰기 과정"
- "제목과 목차의 역할: 새로운 책 쓰기 전략"
- "형식을 깨는 글쓰기: 도서관 강의에서 책으로"
- "구조화된 창의성: 내용에서 목차로"

이러한 제목들은 본문의 내용을 잘 반영하면서 독자들에게 해당 챕터가 전통적인 책 쓰기 방법과는 다른 접근을 다루고 있음을 명확히 전달할 수 있을 것입니다.

개인적으로 5번이 마음에 드네요

다시 첫 챕터로 돌아와서 많은 사람들이 하는 제목 정하기와 목차 정하기를 해보겠습니다.

아까 40대 남자의 정보를 주고 키워드를 달라고 했었죠. 나온 키워드 5개는 다음과 같았습니다.

- GPT와 인공지능의 미래,
- 인공지능과 창의성,
- AI 기술 교육과 학습법,
- AI와 사진 ,
- 인공지능 윤리와 사회적 영향

개인적으로는 4번째 "AI와 사진" 이게 가장 마음에 드네요. 그런데 제목이 너무 뻔하지 않나요? 이것도 바꿔달라고 해보죠

Q : 4번 AI와 사진이 가장 마음에 든다. 그런데 제목이 너무 진부한데 좀 더 창의적이고 획기적인 책이 많이 팔릴만한 제목 없을까?

"AI와 사진"을 주제로 한 책 제목을 고려하실 때, 창의적이고 획기적인 느낌을 주면서 독자들의 관심을 끌 수 있는 제목을 제안해 드릴게요:

- "렌즈 너머의 AI: 미래의 프레임을 잡다"
- "시선을 넘어선 기술: AI가 그리는 사진의 새 지평"
- "픽셀 속의 지능: AI가 만들어낸 사진 혁명"
- "AI, 빛을 그리다: 차세대 사진 예술의 탄생"
- "인공지능의 시선: 사진을 재해석하다"

이러한 제목들은 AI와 사진이라는 주제를 현대적이고 흥미롭게 표현하면서, 독자들이 새로운 시각으로 사진과 인공지능의 결합을 바라볼 수 있도록 유도합니다. 제목은 책의 내용과 분위기를 반영하면서도 독특하고 기억에 남을 수 있도록 선택하는 것이 중요합니다.

가끔 생성형 AI를 썼을 때. 와 기발하다. 라고 할 때가 있는데 이번에 나온 결과값을 보니 그런 생각이 드네요, 이번 5가지가 다 마음에 듭니다. 그 중에 하나를 고르자면 전 3번을 선택하겠습니다.

물론 저기에 있는 제목들을 모두 선택하지 않아도 괜찮고 참고만 하더라도 많은 도움이 될 것 같습니다.

만약 저 5가지의 결과값이 마음에 들지 않을 때는 뭐라고 물어봐야 할까요?

좀더 나은 프롬프트를 넣고? 세부정보를 제공하고?

물론 이런 것도 좋긴 하지만 제가 가장 처음으로 말씀드리는게
제목 "5개가 아니고 20개 만들어줘."
라고 하는 것입니다. 5개보다 20개가 더 선택의 폭이 넓고 그
중에서 고르는 것도 좋은 방법입니다.

전 AI도 좋아하고 사진도 좋아하지만 AI와 사진을 접목하는 방
법이나 내용을 알지 못합니다.

그래도 위에 GPT가 추천해준 제목을 가지고 목차를 만들어보
겠습니다. 제목 외에 좀더 자세한 먹이(정보)를 주겠습니다.

Q : 3번 좋다 "픽셀 속의 지능: AI가 만들어낸 사진 혁명"
　이 내용으로 책을 쓰고 싶어. 너는 지금부터 베스트 셀러
　작가고
　사람들이 많이 살 것같은 목차를 만들거야 , 대상은 사진에
　관심이 많은 20~30대가 타겟이고
　너무 어려운 내용이 아닌 한번 봐도 이해가 가게끔 쉽게 작
　성되었으면 좋겠어.
　책은 약 100 페이지 분량이야 . 목차를 작성해줘

서문
- 인공지능과 사진의 만남: 새로운 시대의 시작

6개의 대 목차 아래 3개의 소 목차.

내용을 보면 괜찮아 보입니다. 물론 이대로 책을 쓸 수도 있지만 저희는 AI를 좀더 괴롭혀 봅니다. 위에 말씀드렸던 방망이 깎는 노인 기억 나시나요? 꼬리에 꼬리를 물고 더 날카로운 질문을 해서 목차를 다듬어 보겠습니다.

"대 목차를 5개로 줄여주고 소 목차는 2개만 남겨두고 나머지 없어진 건 다른 목차에 비슷하게 합쳐줘" 라고 해보겠습니다. 그리고 부록도 빼 볼게요.

개정된 목차

1장: AI와 사진의 만남

- 1.1 사진과 AI 기술의 발전
- 1.2 AI가 변화시키는 사진의 세계

2장: AI 사진 편집의 새로운 지평

- 2.1 AI 사진 편집의 기본 개념
- 2.2 창의적인 AI 사진 편집 사례

3장: AI와 창작의 융합

- 3.1 AI를 활용한 창의적 사진 작업
- 3.2 예술과 기술의 경계 넘기

4장: AI 사진의 실용적 적용과 윤리

- 4.1 일상과 상업에서의 AI 사진 활용
- 4.2 사진, AI, 그리고 윤리적 고려

5장: 미래를 향한 시선

- 5.1 AI 사진 기술의 미래 전망
- 5.2 AI와 인간 창작자의 상호작용 및 발전

새로 개정된 목차입니다. 그런데 사진은 꼭 카메라로만 찍는건 아니죠. 목차에 스마트폰 사진에 대한 이야기가 없네요. 이건 꼭 넣어보고 싶은데요.

GPT에게 어디에 들어가야 할지 알려달라고 하고 반영된 목차를 다시 달라고 하겠습니다.

Q : 스마트폰 사진에 대한 이야기가 없네. 스마트폰 사진과 AI에 대한 내용은 꼭 들어갔으면 좋겠어

어디에 들어가면 좋을까? 그 내용을 감안하여 목차를 다시 작성해줘.

1장: AI와 사진의 만남

- 1.1 사진과 AI 기술의 발전
- 1.2 스마트폰 사진과 AI의 결합

2장: AI 사진 편집의 새로운 지평

- 2.1 AI 사진 편집의 기본 개념
- 2.2 스마트폰에서의 AI 기반 사진 편집

3장: AI와 창작의 융합

- 3.1 AI를 활용한 창의적 사진 작업
- 3.2 스마트폰 사진과 AI의 창의적 활용

4장: AI 사진의 실용적 적용과 윤리

- 4.1 일상과 상업에서의 AI 사진 활용
- 4.2 사진, AI, 그리고 윤리적 고려

5장: 미래를 향한 시선

- 5.1 AI 사진 기술의 미래 전망
- 5.2 AI, 스마트폰, 그리고 차세대 사진 예술

스마트폰에 관한 이야기를 넣어달라고 했고 GPT는 이를 반영하여 무려 챕터 4개에 스마트폰에 대한 내용을 넣었습니다. 그런데 꽤나 그럴 듯 합니다. 그렇다면 제목도 바꿔야 하는 건 아닐까요?

Q : 목차가 많이 바뀌었네.

바뀐 목차를 분석해서 어울리는 제목 5개만 추천해줘

- "터치스크린에서 예술까지: 스마트폰과 AI가 만들어 낸 사진 혁명"
- "픽셀의 지능, 손끝의 마법: 스마트폰과 AI의 사진 세계"
- "모바일 렌즈 너머: AI가 재창조한 스마트폰 사진 예술"
- "스마트폰 속 AI: 현대 사진의 새로운 패러다임"
- "AI와 함께하는 스마트폰 사진여행: 기술과 예술의 만남"

이번 제목도 다 마음에 듭니다.

본문 써보기

이제 본문을 써보도록 하겠습니다 GPT-4.0에게 받은 목차는 아래와 같습니다. 이제 1장부터 써 내려가보죠.

1장: AI와 사진의 만남

- 1.1 사진과 AI 기술의 발전
- 1.2 스마트폰 사진과 AI의 결합

아까 책을 100 페이지 분량이라고 했습니다 총 5개의 챕터가 있고 이건 1장이니 20장 정도면 될까요?

위에 이야기 했듯이 GPT는 토큰의 한계로 20장을 한번에 써 주지 못합니다. 지금 제가 GPT에게 인용하는 것 말고는 다 수 기로 쓰고있는 것처럼 말이죠.

도입부를 뭐라고 하면 좋을까요? GPT에게 힌트를 얻어보겠습 니다.

Q : 너는 이제부터 베스트셀러 작가야

1장: AI와 사진의 만남

1.1 사진과 AI 기술의 발전

1.2 스마트폰 사진과 AI의 결합

이 내용으로 책을 쓸 건데 도입부를 뭐라고 써야할지 모르겠어.

어떤 내용으로 쓰면 좋을까? 도입부를 작성해줘

1장: AI와 사진의 만남

도입부

사진의 세계는 항상 변화와 혁신의 최전선에 있었습니다. 빛과 시간을 포착하여 영원을 담는 이 예술은, 처음 카메라가 발명된 순간부터 현재에 이르기까지 끊임없이 진화해왔습니다. 이 장에서는 사진과 AI 기술의 발전 역사를 탐구하고, 특히 최근 몇 년 사이 스마트폰과 AI가 어떻게 결합되어 사진 예술을 새로운 차원으로 이끌고 있는지를 살펴보겠습니다.

사진은 단순히 현실의 기록이 아니라, 우리가 세상을 바라보는 방식을 형성합니다. 그리고 이제 AI 기술이 이러한 시각을 더욱 풍부하고 다층적으로 만들고 있습니다. AI는 사진을 단순히 포착하는 것을 넘어, 이미지를 해석하고, 강화하며, 심지어 새롭게 창조할 수 있는 능력을 부여하고 있습니다. 이로 인해 우리는 더욱 강력하고 표현력 풍부한 시각 언어를 갖게 되었습니다.

특히 스마트폰은 이 혁신의 중심에 서 있습니다. 거의 모든 사람의 주머니 속에 자리 잡은 이 작은 기기는, 고급 카메라가 아닌 일상적인 장치를 통해 놀라운 사진을 찍을 수 있는 능력을 제공합니다. 스마트폰의 카메라는 단순한 이미지 캡처 도구를 넘어서, AI를 통해 더욱 지능적이고 창의적인 사진 경험을 가능하게 합니다.

이 장에서는 이러한 변화가 사진 예술에 어떤 의미를 가지는지, 그리고 우리가 이 새로운 도구를 어떻게 활용하여 창작의 경계를 넓힐 수 있는지 탐색해보겠습니다. AI와 결합된 사진은 단순히 기술적 발전이 아니라, 시각 예술의 새로운 언어를 형성하고 있습니다. 그리고 이 책은 바로 그 여정의 시작점에 서 있습니다.

물론 손 봐야할 내용이 있고 조금은 딱딱한 것 같지만 생각보다 괜찮은 결과물이 나왔습니다. 사진이 단순히 현실의 기록이 아니라 우리가 세상을 바라보는 방법이라 던지 풍부한 시각 언어랄지 기발한 단어들이 많이 보입니다. 제가 많은 생성형 AI 도구 중에 GPT 4.0을 쓰는 이유입니다.

이 글을 늘리거나 줄일 수도 있습니다. 쓸 말이 없는데 분량을 채우거나 하고 싶을 때 제가 주로 쓰는 프롬프트는

Q : 내용을 2배로 늘여줘 , 전문용어를 중간중간에 넣어주고 영어 약자가 있으면 풀어서 써주기도 하는 식으로 전문가처럼 형식은 유지하면서 내용을 늘이는 거야

내용은 많이 늘어났지만 한눈에 보기 쉽게 앞의 두 단락만 가져오겠습니다.

사진 예술은 인간 경험을 고정화하고 기록하는 강력한 수단으로서, 그 역사를 거슬러 올라가면 사진술의 발명과 함께 시작됩니다. 이 예술의 발전은 암실(darkroom)에서 디지털 이미징(digital imaging)으로, 그리고 이제는 인공지능(Artificial Intelligence, AI)의 시대로 이어져 왔습니다. 이 장에서는 고전적 사진술에서 현대의 디지털 및 AI 기술로의 발전 과정을 탐구하고, 특히 스마트폰 사진과 AI가 어떻게 결합되어 사진 예술의 새로운 지평을 열고 있는지 살펴보겠습니다.

사진은 단순한 시각적 기록 이상의 것을 제공합니다. 그것은 우리가 세상을 인식하고 해석하는 데 중요한 역할을 합니다. 현대에 들어서 AI 기술, 특히 기계 학습(Machine Learning, ML)과 컴퓨터 비전(Computer Vision)은 사진의 해석, 처리, 그리고 창조에 혁신적인 변화를 가져왔습니다. 이 기술들은 이미지의 품질을 개선하는 것에서부터 새로운 이미지를 생성하는 데 이르기까지, 사진 예술에 광범위하게 적용됩니다.

중간중간에 전문용어와 영어로 풀어놓은 것들이 보이시나요? GPT는 글의 내용을 요약해주는 것도 잘하지만 이런 식으로 늘이는 것도 잘한답니다.

이 뒤의 내용을 계속 적어달라고 하면 적어 주긴 합니다. 하지만 특정 주제나 내가 하고싶은 말을 적지 않고 계속 이어 적기만 하면 비슷한말이 되풀이 되는 느낌을 받을 수 있습니다.

도입부를 작성했으니 소 목차의 내용을 작성해보겠습니다

1.1 사진과 AI 기술의 발전

1.2 스마트폰 사진과 AI의 결합

그냥 책을 써달라고 해도 되지만 내가 원하는 방향으로 가이드라인을 주는 것을 추천 드립니다.

1.1 같은 경우 사진과 AI기술의 발전이라고 하면 시간의 격차가 아주 클 것입니다. 저는 사진이 몇 년도에 나왔고 AI는 언제 나왔으며 또 어느 시기에 가장 활성화가 되었는지 어떠한 계기로 그렇게 되었는지를 시대순으로 써보고 싶습니다. 가이드라인을 줘 보겠습니다.

Q : 도입부는 이 정도면 될 것 같아

1.1 사진과 AI 기술의 발전 이 내용으로 이어서 쓸거야

사진과 AI라고 하면 시간적 격차가 클것 같아. 사진이 몇년도에 나왔고 AI는 언제 나왔으며 또 어느 시기에 가장 활성화가 되었는지 어떠한 계기로 그렇게 되었는지를 시대순으로 써보고 싶어. 또한 사진과 AI기술이 접목된 예시도 알려주면 좋겠어.

사진의 역사

사진술은 19세기 초에 발명되어, 1826년 니세포르 니엡스(Nicéphore Niépce)가 최초의 영구적인 사진 '뷰 프롬 더 윈도우 앳 르 그라'(View from the Window at Le Gras)를 만들면서 본격적인 시작을 알렸습니다. 이후 조셉 니세포르 니엡스(Joseph Nicéphore Niépce)와 루이스 다게르(Louis Daguerre)의 협업을 통해, 1839년 다게레오타입(Daguerreotype) 과정이 소개되었습니다. 이것은 사진 예술과 기술의 본격적인 발전을 촉진시켰습니다.

인공지능의 시작

80

인공지능의 역사는 20세기 중반으로 거슬러 올라갑니다. 19 56년, 다트머스 회의(Dartmouth Conference)에서 인공지능 이라는 용어가 처음 사용되었고, 이는 컴퓨터 과학의 새로운 분야로 인정받기 시작했습니다. 초기 AI 연구는 주로 패턴 인 식과 기본적인 학습 알고리즘에 초점을 맞췄습니다.

AI 기술의 발전과 활성화

1980년대와 1990년대에 걸쳐, 신경망(Neural Networks)과 딥 러닝(Deep Learning) 기술의 발전으로 AI 연구가 크게 진 전되었습니다. 특히 1990년대 후반과 2000년대 초, 빅 데이 터(Big Data)의 출현과 함께 컴퓨터 처리 능력의 향상이 AI 기술의 발전을 가속화했습니다. 2010년대에 들어서면서, AI 는 이미지 인식, 자연어 처리, 그리고 머신 러닝 알고리즘의 발전을 통해 일상 생활의 다양한 영역에 적용되기 시작했습 니다.

사진과 AI의 접목

사진과 AI 기술이 접목된 첫 번째 주요 사례 중 하나는 얼굴 인식 기능이었습니다. 2000년대 중반, 디지털 카메라와 스 마트폰의 등장으로 사진 촬영이 대중화되면서, AI를 활용한 얼굴 인식 기능이 소비자 제품에 처음 도입되었습니다. 이 기술은 사진에서 인물을 자동으로 감지하고 초점을 맞추는 데 사용되었습니다.

내용이 아주 마음에 듭니다. 필자가 원하는 내용을 넣으면 거기에 맞춰 말을 잘 만들어 줍니다. 내용이 길면 나오다가 끊기는 경우가 있습니다 그 아래 continue generating 이라는 버튼을 누르면 계속해서 내용을 이어줍니다

이후 AI 기술은 사진 편집에도 접목되었습니다. 예를 들어, **Adobe Photoshop**과 같은 소프트웨어는 AI를 활용하여 이미지 개선, 객체 제거, 그리고 스타일 전이 등의 복잡한 편집 작업을 단순화했습니다. 또한, 스마트폰 앱들은 AI를 사용하여 자동으로

▷▷ Continue generating

지금 내용이 시간 순으로 되어있는데 글로만 보기가 좀 밋밋하네요 표가 하나 있으면 좋겠습니다. 이젠 글을 보고 엑셀에 하나씩 직접 넣지 않아도 됩니다. GPT는 표도 잘 만들어주기 때문입니다.

Q : 위의 내용을 시각화 해 줘 . 표같은 걸로 만들어주면 좋아.

시대	사진의 발전	AI의 발전	사진과 AI의 접목

1826년	니세포르 니엡스가 최초의 영구적인 사진 '뷰 프롬 더 윈도우 앳 르 그라' 촬영	-	-
1839년	다게레오타입 과정 소개	-	-
1950 년대	컬러 필름과 저렴한 카메라의 보급	다트머스 회의에서 '인공지능' 용어 처음 사용, AI 연구 시작	-
1980~ 1990년 대	디지털 카메라의 발전	신경망과 딥 러닝 기술 발전, 빅 데이터와 컴퓨터 처리 능력 향상	
2000 년대 중반	스마트폰의 보급, 디지털 사진의 대중화	AI 얼굴 인식 기술 개발	스마트폰과 디지털 카메라에서의 얼굴 인식 기능 도입
2010 년대	고해상도 스마트폰 카메라의 보급	이미지 인식, 자연어 처리, 머신 러닝 알고리즘 발전	사진 편집 소프트웨어와 스마트폰 앱에서의 AI 활용 (예: Adobe Photoshop)

위의 내용으로 GPT가 만들어 준 표입니다. 마음에 드시나요?

이런 식으로 내용을 붙여가며 책을 만들 수 있습니다. 하지만 처음도 말씀 드렸듯이 AI는 완벽하지 않고 결국에는 인간의 정성이 들어가야 사람 냄새나는 책을 쓸 수 있습니다.

이렇게 쓰여진 책의 장르는 뭘까요? 기술 과학서나 인문학 에세이 정도 되지 않을까요? 이번 책 쓰기 강좌에서 여러가지 장르의 책들을 쓰였는데 소설을 제외한 대부분의 책들은 위의 내용이 도움이 되실 겁니다.

직접 소설 써보기

소설은 좀 다릅니다. 책 초반에 GPT가 거짓말을 잘한다고 말씀드렸었습니다.

있지도 않은 이야기를 아주 잘 지어내죠. 창의성이 좋다고 해야 할까요? 사실 GPT-4.0은 정말 창의성이 좋습니다. 있지도 않은걸 아주 잘 지어내죠. 테스트를 한번 해볼까요?

Q : 너는 지금부터 창의력이 뛰어난 SF 환타지 작가야. 세상에 없는 상상의 동물 5가지를 소설에 등장시킬건데. 이름을 지어 주고 왜 그런 이름을 지었는지 설명해줘.

- 플루리아녹스 (Flurianox): 이 동물은 반짝이는 날개를 가진, 공중을 유영하는 생명체입니다. 이름은 '플루리(Flurry)'와 '아녹스(Anox)'의 합성어로, '플루리'는 눈발처럼 부드럽고 가벼운 움직임을, '아녹스'는 신비롭고 우아한 생명체라는 의미를 가지고 있습니다.

- 사일리언츠 (Sylionts): 이 동물은 숲속에서 살며, 나무와 식물과 하나가 될 수 있는 능력을 지닌 생명체입니다. '사일리언츠'는 '실리언(Silien)'과 '엔츠(Ents)'의 조합으로, 신비로운 숲의 정령과 걷는 나무를 의미하는 고대 신화의 존재에서 영감을 받았습니다.

- 그리멜릭스 (Grimelix): 이 동물은 어둠 속에서만 나타나는, 신비로운 능력을 지닌 포식자입니다. 이름은 '그림(Grim)'과 '헬릭스(Helix)'의 결합으로, 그림은 어두운 및 신비로운 분위기를, 헬릭스는 복잡하고 예측 불가능한 움직임을 나타냅니다.

- 아쿠아리피드 (Aquaripede): 이 동물은 물 속에서 살며, 여러 다리를 사용해 빠르게 움직이는 수중 생명체입니다. 이름은 '아쿠아(Aqua)'와 '센티피드(Ce ntipede)'의 결합으로, 물 속에서 살며 다리가 많은 특성을 나타냅니다.

- 솔라리스펙스 (Solarispect): 이 동물은 태양 에너지를 흡수해 빛을 발하는, 빛나는 깃털을 가진 새입니다. 이름은 '솔라리스(Solaris)'와 '스펙트럼(Spectrum)'의 조합으로, 태양의 에너지와 다양한 색상의 스펙트럼을 나타냅니다.

사일리언츠 나무와 식물과 하나가 될 수 있는 능력을 가진 생물체 라네요. 정말 보편적인 상식의 범위를 넘어선 상상력입니다.

여기서 끝나지 않습니다. 다시 GPT를 극한으로 몰아보겠습니다.

Q : 사실은 동양 소설 이었어. 한문이 들어간 동양의 상상 속 동물로 바꿔서 다시 이야기 해줘

- 비룡화 (飛龍火): 하늘을 나는 용의 모습을 한, 불을 뿜는 신비한 동물입니다. '비룡(飛龍)'은 하늘을 나는

용을, '화(火)'는 불을 의미하여, 하늘을 나는 불의 용이라는 뜻을 가지고 있습니다.

- 음양석 (陰陽石): 두 얼굴을 가진, 음과 양의 기운을 조절하는 신비한 돌 생명체입니다. '음양(陰陽)'은 대조되는 두 가지 힘을, '석(石)'은 돌을 의미하여, 음과 양의 균형을 이루는 돌의 형태를 가진 생명체라는 뜻입니다.

- 구름룡 (雲龍): 구름과 흡사한 모습을 한, 공중을 떠다니는 용의 형태를 한 동물입니다. '구름(雲)'은 부드럽고 가벼운 구름을, '룡(龍)'은 용을 의미하여, 구름 같은 용이라는 뜻을 가지고 있습니다.

- 천공호 (天空虎): 하늘을 나는 능력을 가진 호랑이 모양의 신비한 동물입니다. '천공(天空)'은 하늘을, '호(虎)'는 호랑이를 의미하여, 하늘을 나는 호랑이라는 뜻을 가지고 있습니다.

- 수정룡 (水晶龍): 수정처럼 투명한 몸을 가진, 물 속에서 살며 빛을 발하는 용의 형태를 한 동물입니다. '수정(水晶)'은 투명한 수정을, '룡(龍)'은 용을 의미하여, 수정 같은 용이라는 뜻을 가지고 있습니다.

GPT3.5가 나왔을 때 한문은 많이 약했는데 그동안 학습을 많이 했는지 이제는 아주 자연스럽게 글자와 뜻까지 잘 나타내는 것을 볼 수 있습니다.

이처럼 GPT는 우리의 생각보다 훨씬 창의적이고 상상력이 풍부합니다.

이제 우리도 이 창의적인 GPT를 이용하여 소설을 한번 작성해볼까요?

소설도 에세이를 쓰는 방식으로 비슷하게 해도 됩니다.

하지만 소설은 말그대로 소설이죠. 현실에 없는 이야기나 극적인 요소가 있어야 소설이 재미있어지는데 경험상 GPT에게 모두 맡기면 생각만큼 재미있는 내용이 나오지 않습니다

먼저 그동안에 비소설을 했던 방식대로 해보겠습니다. 개인적으로는 타임슬립 (과거와 현재를 오고 가는) 형태의 소설이나 영화를 좋아합니다.

질문을 던져보죠

Q : 너는 베스트셀러 소설 작가이고 타임슬립 소설을 쓰고 싶어

주인공은 과거로 돌아갈 수 있는 큐브를 발견했어. 이 큐브를 이용해서 아버지가 돌아가신 시간으로 돌아가면 아버지를 살릴 수 있어, 하지만 그때 나는 다른 곳에서 중요한 결정을 하고 있었고 그로 인해서 지금의 부와 명 예를 얻을 수 있었어. 그때로 돌아가서 아버지를 구해야 할까 아니면 지금이 좋은 걸까, 결정을 해야 할 시간이 다가오고 있어, 큐브를 쓸 수 있는 시간은 1시간밖에 없어

이 내용을 극적으로 할 수 있는 소설 제목과 목차를 추천해줘.

제목: "시간의 딜레마: 아버지를 위한 선택"

목차:

- 제4장: 운명의 선택
  - 중요한 결정을 앞둔 현재와 과거 사이의 갈등
- 제5장: 시간을 거스르는 여정
  - 큐브를 사용하여 과거로 돌아가는 과정
- 제6장: 두 갈래 길
  - 과거에서 아버지를 구하려는 시도와 현재의 부와 명예에 대한 고민
- 제7장: 마지막 결정
  - 아버지를 구하고 현재로 돌아오는 순간의 결정
- 제8장: 시간이 남긴 상처
  - 과거의 선택이 현재에 미친 영향과 변화된 삶
- 에필로그: 시간 속의 교훈
  - 주인공의 성찰과 큐브에 대한 최종 결론

뭐 나쁘지는 않습니다만 뭔가 극적인 요소는 없는 것 같네요.

비소설과 마찬가지로 도입부를 작성해달라고 해보겠습니다.

프롤로그: 분실된 시간

주인공의 현재 상황과 아버지에 대한 회상

프롤로그와 도입부를 작성해줘

프롤로그: 분실된 시간

비가 내리는 어느 늦은 오후, 카페의 창가에 앉아 있는 나는 흐릿한 빗방울 너머로 과거를 들여다보고 있었다. 커피잔의 따스함이 손끝에 전해지지만, 마음속 깊은 곳은 차가운 공허함으로 가득 차 있었다. 시계의 초침 소리가 유난히 크게 들리는 것만 같았다. 각종 재산 목록과 계약서가 테이블 위에 흩어져 있지만, 그 어떤 것도 나를 위로할 수 없었다.

"부, 명예, 성공... 이 모든 것들이 정말 내가 원한 걸까?" 나는 중얼거렸다.

그때, 아버지의 옛 사진이 눈에 들어왔다. 검은 테의 두꺼운 안경을 쓴 그의 모습은 항상 따뜻하고 친근감이 넘쳤다. 아버지는 내가 어릴 적, 나에게 세상을 보는 법과 꿈을 꾸는 법을 가르쳐주셨다. 하지만 그 꿈이 현실이 되어버린 지금, 나는 아버지의 따뜻한 미소를 다시 볼 수 없다는 사실에 괴로워했다.

결과물이 꽤나 길게 나옵니다. 개인적인 느낌으로는 비소설보다 소설의 내용이 좀더 길게 나오는 것 같습니다.

내용을 보면 비가 내리는 어느 늦은 오후, 카페 창가에 앉아..

시간이랑 장소를 지정하지 않았는데도 알아서 뭔가 긴장감이나 공허함을 느끼게 하기 위해서 AI가 스스로 정해 놓은 듯 합니다. 수많은 학습데이터들의 결과라고 할까요.

소설을 쓸 때는 사실 숨겨진 세팅 값들이 있습니다. 명령어는 다음과 같습니다.

명령어	한글 설명	예시
#setting	설정	중세 시대의 성, 미래의 우주 정거장
#mood	분위기	스릴러, 로맨틱, 미스터리
#role	역할	주요 인물과 그들의 역할 설정
#persona	인물	인물들의 특성과 성격 설정

#location	장소	소설이 일어나는 주요 장소 설정
#time	시간	소설의 시간대 설정 (과거, 현재, 미래)
#topic	주제	소설의 주요 주제 설정
#style	스타일	작성 스타일 설정 (서술적, 대화식, 내러티브)
#temperature	온도	생성 '온도' 설정 (자유로움의 정도)
#top_p	상위 확률	생성된 텍스트의 다양성 조절

　사실, 숨겨진 도구라고 쓰긴 했지만 위에 제시한 표는 작가들에게 더 간편한 대화 형식으로 글을 쓰게 도와주는 도구 일 뿐입니다.

예를 들어, 저는 시간여행을 주제로 한 타임랩스 소설을 쓰고 싶다고 가정 하겠습니다. 이 경우, #setting과 #mood 명령어를 통해 소설의 기본 설정을 지정할 수 있습니다.

- #setting (설정) : 현재와 과거를 오가는 내용

- #mood (분위기) : 스릴러, 드라마

이렇게 명령어를 통해 기본 설정을 지정해 놓으면, 이후에 이러한 설정에 기반하여 소설을 계속 작성할 수 있습니다.

반면에, 프롬프트 명령어를 사용하면 "나는 소설을 쓸 건데 내용은 현재와 과거를 오가는 내용이고 장르는 스릴러와 드라마야" 라고 말하면서 소설의 틀을 정할 수 있습니다.

두 방식은 비슷해 보이지만, 명령어를 사용하면 작가는 소설의 장면이나 내용이 바뀔 때 마다 쉽게 설정 값을 변경할 수 있어서 작업이 더 간편 해집니다. 이렇게 설정 값을 미리 지정해 놓으면, 작가는 소설의 일관성을 유지하면서도 창의적으로 글을 쓸 수 있게 됩니다.

아래는 위의 값을 이용해서 상황 설정을 하고 작성한 소설의 도입부입니다.

You
#setting 과거와 현재를 오고가는 타임랩스
#mood 분위기 스릴러, 드라마
#role 역할 나, 누나, 과거의 나, 과거의 아버지
#persona 나는 소심한 성격이고 누나는 대범한 성격이다. 아버지는 과거에 사고로 돌아가심
#location 내방, 아버지가 돌아가신 그 장소
#time 새벽 3시, 아버지가 돌아가신 시간은 10년전 새벽 2시
#topic 과거로 돌아갈수 있는 큐브를 발견했어. 이 큐브를 이용해서 아버지가 돌아가신 시간으로 돌아가면 아버지를 살릴수가 있어, 하지만 그때 나는 다른곳에서 중요한 결정을 하고있었고 그로인해서 지금의 부와 명예를 얻을수가 있었어. 그때로 돌아가서 아버지를 구해야 할까 아니면 지금이 좋은걸까, 결정을 해야할 시간이 다가오고 있어, 큐브를 쓸수있는 시간은 1시간밖에 없어
#style 나와 누나의 대화가 많았으면 좋겠고 상황을 묘사하듯이 글을 써줘
#temperature 1

소설 도입부를 적어줘

ChatGPT
새벽의 조용함 속에서 나는 눈을 떴다. 시계! ↓ 침이 3을 가리키고 있었다. 이 시간은 항상 나에게 특별했다. 아버지가 돌아가신 그 날, 새벽 2시의 무서운 정적 속에서 모든 것이 변했었다. 10년이 흘렀지

명령어	값
#setting	과거와 현재를 오고가는 타임랩스
#mood	스릴러, 드라마
#role	나, 누나, 과거의 나, 과거의 아버지
#persona	나는 소심한 성격이고 누나는 대범한 성격이다. 아버지는 과거에 사고 로 돌아가심
#location	내방, 아버지가 돌아가신 그 장소
#time	새벽 3시, 아버지가 돌아가신 시간은 10년 전 새벽 2시

#topic	과거로 돌아갈 수 있는 큐브를 발견했어. 이 큐브를 이용해서 아버지가 돌아가신 시간으로 돌아가면 아버지를 살릴 수 있어, 하지만 그때 나는 다른 곳에서 중요한 결정을 하고 있었고 그로 인해서 지금의 부와 명예를 얻을 수 있었어. 그때로 돌아가서 아버지를 구해야 할까 아니면 지금이 좋은 걸까, 결정을 해야 할 시간이 다가오고 있어, 큐브를 쓸 수 있는 시간은 1시간밖에 없어
#style	나와 누나의 대화가 많았으면 좋겠고 상황을 묘사하듯이 글을 써줘
#temperature	1

새벽의 조용함 속에서 나는 눈을 떴다. 시계의 시침이 3을 가리키고 있었다. 이 시간은 항상 나에게 특별했다.

아버지가 돌아가신 그 날, 새벽 2시의 무서운 정적 속에 서 모든 것이 변했었다. 10년이 흘렀지만, 그날의 기억은 아직도 선명하다.

나는 눈을 비비며 일어나 내 방의 작은 책상 앞에 앉았다. 책상 위에는 작은 큐브가 놓여 있었다. 그것은 어제 누나가 가져온 것이다. 큐브는 특별한 힘이 있어. 그것을 이용하면 시간을 되돌릴 수 있다고 누나가 말했다. 아버지를 구할 수 있는 유일한 희망이 바로 이 큐브였다.

누나는 내 옆에 앉아있었다. "진짜로 준비 됐어?" 누나의 눈에는 걱정과 기대가 공존하고 있었다.

나는 몇 초 동안 말없이 큐브를 바라보았다. 그때의 나는 부와 명예의 기회를 얻을 수 있었다. 하지만 아버지를 구하려면 그 기회를 포기해야 했다.

"아직도 결정하지 못했어." 나는 솔직하게 말했다. 누나는 나의 손을 꽉 잡고, "우리에게는 1시간밖에 없어. 어떻게 할거야?" 라고 물었다.

나는 눈을 감고, 과거의 그 시간으로 마음을 돌렸다. 아버지의 웃는 얼굴, 그리고 그때의 나의 무의식 중에 놓인 중대한 결정... 모든 것이 내 머릿속에서 교차했다.

이 시간의 흐름 속에서, 나와 누나는 가장 중요한 결정을 내리려 했다. 큐브를 이용하여 과거로 돌아가 아버지를 구할 것인가, 아니면 지금의 모든 것을 포기하고 그때의 중요한 결정을 내릴 것인가... 시간은 빠르게 흐르고 있었고, 큐브는 점점 더 빛을 발하고 있었다…

< Dalle-3로 만든 삽화 >

고민 속에서 나는 부엌으로 걸어가 물을 마시러 갔다. 머리가 너무 아팠다. 아일 랜드 식탁에 걸터앉으며, 가족 사진을 바라

보았다. 그 속에서 아버지의 따뜻한 미소가 나 를 바라보고 있었다. 그의 눈빛은 항상 나에게 힘이 되어주었다.

부엌 주변은 고급 스테인리스 스틸 기기들로 둘러싸여 있었다. 모던한 인테리어와 그 시 원한 느낌은 어딘가 차가웠다. 이런 부엌은 과거의 우리 집과는 정말 달랐다. 그때는 따 뜻하고, 아늑했다. 그리고 아버지가 항상 나를 위해 무언가를 요리해주곤 했다.

나는 잠시 과거의 행복한 시간들을 회상했다. 그때의 삶이 얼마나 단순하고 행복했는지... 그리고 아버지가 얼마나 중요한 존재였는지 다시 한 번 느꼈다.

나는 결정했다. 과거로 돌아가는 것이다. 아버지를 구하기 위해, 그리고 그 당시의 중요 한 결정을 다시 한 번 재고하기 위해.

다시 방으로 돌아가 누나를 찾았다. "누나, 나 결정했어. 과거로 돌아가자." 누나의 얼굴 에는 미소와 눈물이 동시에 흘러내렸다.

나는 큐브를 손에 쥐고 누나와 함께 그 빛나는 기회 속으로 들어가려 했다. 과거로의 여 행이 이제 시작되려고 했다.

여기까지가 위의 세팅 값으로 나온 결과물입니다. 물론 여기까지 나오고

"뒤에 내용을 이어서 써줘" 라고 한다면 GPT야 거절을 못하고 써주겠지만 내용이 산으로 가거나 일반적인 권선징악으로 끝나는 경우를 많이 봤습니다. 그래서 영화처럼 챕터 2에 대한 세팅 값을 다시 주겠습니다.

주인공이 결정을 마치고 과거로 가는 장면을 여러가지 명령어로 넣었습니다.

명령어	값
#setting	과거로 가는 웜홀
#mood	스릴러, 드라마
#role	나
#location	내방에서 과거로 돌아가는 웜홀을 지나 아버지의 사고 장소로 간다.
#time	새벽 3시, 아버지가 돌아가신 시간은 10년전 새벽 2시

#topic	누나가 같이 가자고 했지만 나는 혼자가기로 마음먹었어, 사실 아버지 의 사고에는 나의 잘못도 있어. 어머니가 작은 사고를 당하셔서 누군가 가야 하는데 내가 못가서 아버지가 가시다가 큰 사고로 돌아가셨어. 나는 그걸 바로잡고 싶어.
#style	독백을 많이 넣어주고 상황을 묘사하듯이 글을 써줘
#temperature	1

방에서 큐브의 버튼을 누를 준비를 했다. 누나의 눈물이 내 맘을 무겁게 했지만, 이것이 나의 선택이었다. 큐브의 버튼을 누르자마자 갑자기 시간과 공간이 뒤틀리는 느낌이 들었다. 나의 주변은 빠르게 회전하며 어지러웠다. 시간이 역행하는 느낌이었다.

주마등처럼 나의 과거가 눈앞에 펼쳐졌다. 그 당시 나는 어머니의 사고로 인해 아버지에 게 가게 되었던 그 순간, 그리고 아버지가 그 사고를 당하게 된 그 장면이 머릿속에 선 명하게 떠올랐다.

나는 그 장면들을 보면서 깊은 반성의 시간을 가졌다. "왜 그때 나는 그렇게 행동했을까? 왜 나는 어머니를 돕지 않았을까?" 나의 눈앞에는 계속해서 그 당시의 장면들이 반복되었다. 나의 실수, 나의 무책임함, 그리고 그로 인해 발생한 끔찍한 결과들...

이러한 생각 속에서도 웜홀은 나를 빠르게 과거로 데려가고 있었다. 공간이 뒤틀리고 시 간이 역행하는 그 느낌은 나를 두려움으로 가득 채웠다. 하지만 동시에, 나는 그 당시를 바로잡고 아버지를 구하고 싶은 강한 의지도 느꼈다.

마침내 웜홀은 나를 그 당시의 세상으로 데려다 놓았다. 나는 눈앞의 모든 것이 낯설게 느껴졌다. 10년 전의 그 시간, 그리고 그 시간의 나... 그리고 아버지.

아버지의 사고 장소로 향했다. 그 당시의 기억이 아직도 선명했다. 나는 아버지의 그 마지막 모습을 생각하며 눈물을 흘렸다. 그리고 나는 결심했다. 이번엔 아버지를 꼭 구하겠 다는 강한 의지를 가지고 그 장소로 빠르게 달려갔다.

어떤가요? 문과 감성이 하나도 없는 저도 ChatGPT와 명령 값을 이용하여 타임랩스의 소설 도입부를 완성했습니다. 삽화는 Dalle-3라는 이미지를 만들어주는 도구를 사용했습니다.

위에 말한 세팅 값들은 어디엔가 복사를 해놓는게 좋습니다. 소설을 쓰기위해서는 챕터별로 내가 생각한 분위기들을 바로 접목할 수 있죠

초반 GPT 4.0을 설명할 때 본인에 맞게 커스텀을 할 수 있다고 했던 거 기억하시나요?   GPT를 가입하시고 왼쪽 아래 본인의 이름이 있는데 그걸 클릭하시면 몇가지 옵션들이 나옵니

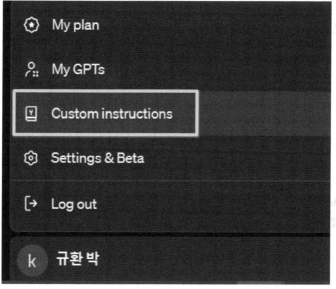

다. 그중에 custom instructions 라는 것이 있습니다. 말그대로

나한테 맞게 GPT를 설정하는 것이죠.

Custom instructions ⓘ

Preset Instructions ⌄   My Instructions ⌄   +

What would you like ChatGPT to know about you to provide better responses?

나는 한국어 사용자니깐 내가 굳이 요청을 하지 않는다면 한국어로 대답을 해줘

42/1500   Hide tips ⊗

How would you like ChatGPT to respond?

시각화' 라고 말하면 표나 그림 등의 요구하는 내용을 그림을 제공하거나, 제공할 그림이 없다면 내용을 정리하여 표로 나타내십시오

71/1500

Enable for new chats 🔘   Cancel   Save

위의 캡쳐 화면은 제가 평소에 설정해놓은 값입니다. GPT가 가끔 영어로 대답을 해주는 것을 방지하기 위해 한국어로 답을 해달라고 했고 아래 어떻게 대답을 해주기를 원해? 라는 답에 는 표나 그림을 제공해달라고 했습니다. 물론 책을 쓴다면 여기에 다른 내용을 넣을수 있겠죠.

아래의 캡쳐 화면은 위의 화면 빈칸을 클릭했을 때 나오는 팝업입니다. 같이 캡쳐가 되지 않아서 별도로 올렸습니다. 영어로 되어있는데 해석을 해보면 아래와 같습니다.

Thought starters

- Where are you based?
- What do you do for work?
- What are your hobbies and interests?
- What subjects can you talk about for hours?
- What are some goals you have?

더 나은 응답을 제공하기위해 ChatGPT가 당신에 대해 무엇을 알아야 할까요?

- 어디에 기반을 두셨나요?

105

- 당신은 무슨 일을 하시나요?
- 당신의 취미나 관심사는 무엇인가요?
- 얼마나 오랫동안 이 주제에 관해 이야기 할 수 있나요?
- 당신의 목표는 무엇입니까?

Thought starters

- How formal or casual should ChatGPT be?
- How long or short should responses generally be?
- How do you want to be addressed?
- Should ChatGPT have opinions on topics or remain neutral?

ChatGPT가 어떻게 응답을 하기를 바라시나요?

- ChatGPT는 얼마나 격식을 차려야 하나요?
- 일반적으로 응답은 얼마나 길거나 짧아야 하나요?
- 어떻게 처리를 하길 원하시나요?
- ChatGPT는 주제에 대하여 의견을 가져야 하나요? 아니면 중립을 지켜야 하나요

여러가지 말이 긴데 결론적으로 간단히 말하면 위칸은 당신에 대해서 알려달라고 하는 것이고 아래칸은 어떻게 응답을 해드릴까요? 라고 묻는 것입니다.

책을 쓰는걸 가정 하고 답을 해볼까요?

- 당신은 무슨 일을 하시나요?

  ☞ 나는 베스트셀러 에세이 작가야

- 당신의 취미나 관심사는 무엇인가요?

  ☞ 사진과 AI가 나의 관심사야 이에 관한 책을 쓰려고 해

- 당신의 목표는 무엇입니까?

  ☞ "픽셀 속의 지능: AI가 만들어낸 사진 혁명" 이라는 책을 쓸거고 30대 40대를 타겟으로 삼을 거야 이들에게 사진과 AI가 발전해온 역사를 알려주고 싶고 책도 많이 팔렸으면 좋겠어.

간단히 써봤지만 사실 GPT 새 창을 하나 열고 "나는 베스트셀러 작가야"부터 시작을 하는것과 별반 다르지 않습니다. 매번 쓰기가 귀찮아서 미리 커스텀을 해놓는 것이죠.

왜 AI 는 책을 한번에 못 써줄까?

GPT에게 책 100 페이지 분량 1권 자동으로 써달라고 하면 더 쉬울 텐데 왜 그렇지 않을까요? 결론부터 말씀드리면 못하기 때문입니다. 좀 어려운 이야기인데 "토큰" 이라는 개념에 대해 말씀드리겠습니다.

토큰"이란 기본적으로 언어 모델이 이해하고 처리할 수 있는 최소 단위입니다. 예를 들어, 영어에서 하나의 단어나 구두점이 하나의 토큰이 될 수 있습니다. 한국어의 경우, 한글 자모 하나가 토큰으로 처리될 수도 있고, 더 큰 의미 단위로 묶인 토큰이 될 수도 있습니다.

간단한 예를들면 Hello 라고하면 알파벳 하나당 1개의 토큰 ,총 5개의 토큰이라고 할 수 있습니다. 이를 한국어로 번역하면 "안녕하세요" 인데 안타깝게도 5개의 토큰이 아닙니다. 한국어는 자음과 모음이 있죠. 굳이 따지자면 "안녕하세요" 의 한마디에 자음과 모음이 합쳐진 12 토큰입니다. 이게 정확하다고 말할 수는 없지만 얼추 비슷은 하다고 보면 됩니다. 처음에 한국어보다 영어로 물어볼 때 좀더 나은 결과값과 더 긴 내용의 답변을 내놓는 다는 이유가 이 토큰에서 비롯된 말이죠.

이야기가 좀 돌아왔는데 GPT가 책 한권을 한번에 못쓰는 이유는 이 토큰 때문입니다 GPT 4.0 기준으로 한번에 입력과 출력에서 처리할 수 있는 토큰의 수는 8,192개라고 합니다.

쉽게 비유하자면 한번에 질문하고 답변을 받을 수 있는 글자수가 8,200개 정도라는 이야기 입니다. 한글을 영어 토큰의 반이라고 봤을 때 한번에 나올 수 있는 글자는 4,100자 정도라는 계산이 나옵니다. 질문을 3,000자로 하면 답변을 1,100자 까지밖에 받지 못하는 거죠. 물론 이 수치는 예를들어서 설명을 한건데 비슷하기는 할겁니다.

토큰의 길이가 GPT-4 보다 훨씬 긴 AI도 존재하긴 합니다.

OpenAI 의 퇴사자가 창업한 클로드AI(Claude AI)라는 툴은 최대 20만토큰을 처리한다고 합니다. 하지만 처음 글쓰기에는 제가 따로 소개를 하지 않았죠. Claude AI가 내용을 길게 써주는건 사실이긴 합니다. 그러나 사람으로 비유를 한다면 말을 길게한다고 똑똑한 사람이 아니듯이 길게 써주는 내용을 보고있자니 계속 비슷한말이 반복이 되고 뭔가 GPT-4.0 보다는 성능이 떨어진다는 느낌을 많이 받았습니다.

실제로 커뮤니티에 가보면 ClaudeAI는 글쓰기보다 논문 분석이나 데이터 분석, 번역의 용도로 더 많이 사용된다고 합니다.

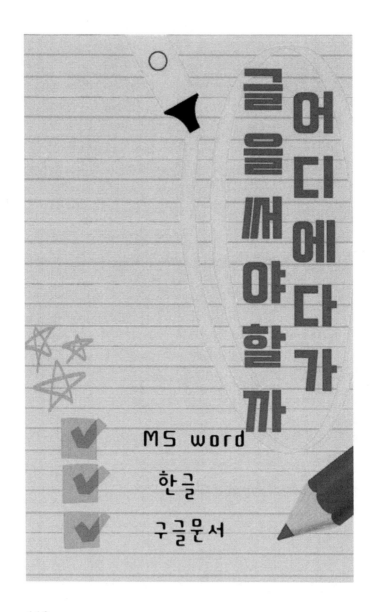

글을 어디에다가 써야 할까

MS word

한글

구글문서

어디에다가 글을 써야할까?

이 질문도 가끔 받습니다. 보통 책을 집필하고 기록해 두려면 여러가지 도구가 있을 텐데 텍스트가 많다면 한글, Word, 구글 문서 정도가 아닐까 싶습니다.

개인적으로는 구글 문서를 선호합니다.

실제로 도서관 12차시 강의 때는 2차시정도는 구글의 도구에 대해서 강의를 했었습니다. (하지만 결국에는 본인들이 익숙한 도구를 쓰시고 수강생들은 "한글"을 가장 많이 사용하시는 것 같았습니다.)

제가 구글 문서를 선호하는 이유를 몇가지 들어보면

1. 자동 저장이 된다.
2. 음성으로 글을 쓸 수 있다.
3. 각주 달기가 쉽다
4. Epub 변환이 쉽다.

정도입니다.

하나씩 풀어보겠습니다. 구글 문서는 자동 저장이 됩니다. 언제 어디서든 인터넷 창을 하나 열고 주소창에 "docs.new" 라고 치면 새 창이 열리고 내가 쓰는 것을 이어서 쓸 수 있습니다. USB

로 옮기고 내가 쓰던 파일을 메일로 보내 놓거나 할 필요가 전혀 없습니다. 이건 정말 큰 장점이라고 생각합니다. 물론 마이크로 소프트나 한글도 온라인 버전으로 가능하긴 하지만 모두가 가지고 있는 구글 ID 하나로 이 모든 게 다 된다는 건 정말 놀라운 일입니다.

두번째. 음성으로 글을 쓰는 것은 다른 도구가 되는지 모르겠습니다.

저는 강의 내용을 그대로 옮기는 것이기 때문에 주로 머릿속에 정리가 되어있고 글로 옮기면 쉽지 않은 경우가 있습니다.

그럴 때 내가 그냥 강의 하듯이 하면 자동으로 텍스트로 바뀌어서 기록이 됩니다.

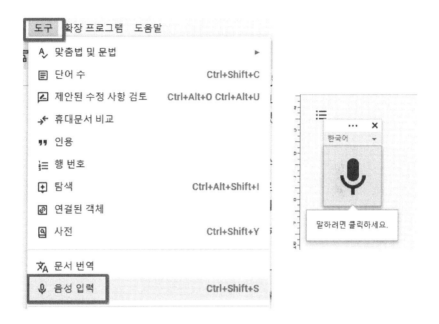

세번째 각주는 생각보다 많이 쓰입니다, 출처를 달아야 한다 던지 그림에 대한 설명을 넣을 때 사용되는데 구글 문서는 각주를 달기가 쉽습니다.

113

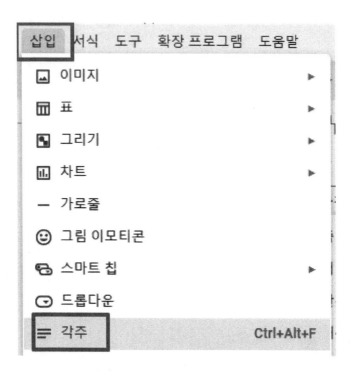

마지막이 중요한데 Epub 변환이 쉽습니다. 이게 좀 생소하신분들이 있을 텐데 전자책은 주로 2가지중에 하나로 업로드가 됩니다.

PDF와 Epub 이라고 하는 확장자입니다. 어떤 차이가 있는지는 간만에 GPT-4.0 에게 물어보겠습니다.

- 고정 레이아웃 vs 유동적 레이아웃:

114

- PDF는 고정된 레이아웃을 갖고 있어, 페이지의 모양과 크기가 사용자의 디바이스나 화면 크기에 관계없이 일정하게 유지됩니다. 이는 인쇄된 문서와 같은 모습을 전자적으로 재현하고자 할 때 유용합니다.
- EPUB은 유동적 레이아웃을 제공하여, 텍스트와 이미지가 사용자의 디바이스나 화면 크기에 맞춰 자동으로 조정됩니다. 이는 특히 다양한 크기의 스크린에서 읽기에 최적화된 경험을 제공합니다.
- 호환성:
  - PDF는 거의 모든 디바이스와 호환되며, 뷰어 소프트웨어나 앱이 널리 퍼져 있습니다.
  - EPUB은 주로 전자책 리더기나 일부 전자책 관련 애플리케이션에서 지원됩니다. 이 형식은 전자책에 특화된 기능(예: 글꼴 크기 조절, 목차 탐색)을 제공합니다.
- 편집과 수정:
  - PDF는 주로 최종 형태의 문서를 배포하기 위해 사용되며, 편집이 덜 편리할 수 있습니다.

- EPUB은 텍스트 및 레이아웃 수정이 상대적으로 용이하며, 재편집이 필요한 전자책 제작에 자주 사용됩니다.
- 멀티미디어 지원:
  - PDF는 텍스트와 이미지 뿐만 아니라, 일부 멀티미디어 요소를 포함할 수 있습니다.
  - EPUB은 오디오, 비디오 및 인터랙티브 요소를 포함할 수 있어, 보다 동적인 전자책 경험을 제공할 수 있습니다.

이러한 차이점을 고려하여, PDF는 일반적으로 레이아웃이 중요한 문서(예: 잡지, 브로셔)에 사용되며, EPUB은 텍스트 중심의 콘텐츠(예: 소설, 교과서)에 더 적합합니다.

특징	PDF	EPUB
레이아웃	고정된 레이아웃	유동적 레이아웃
호환성	대부분의 디바이스와 호환	전자책 리더기 및 전자책 앱에서 주로 지원
편집 및 수정	편집이 덜 편리함	텍스트 및 레이아웃 수정이 용이

멀티미디어 지원	텍스트와 이미지, 일부 멀티미디어 요소 포함 가능	오디오, 비디오, 인터랙티브 요소 포함 가능
적합한 사용	레이아웃이 중요한 문서 (예: 잡지, 브로셔)	텍스트 중심의 콘텐츠 (예: 소설, 교과서)

부연설명을 좀 하면 PDF는 그냥 사진이라고 보시면 됩니다 확대를 하면 한 글자 자체가 확대가 되죠. 하지만 Epub은 확대를 하면 줄이 바뀝니다. 혹시 네이트나 네이버 기사에서 글자 크기를 조정해보신적이 있을까요?

꼭 인터넷이 아니고 이 책을 쓰고있는 이 툴에서도 기존에 작성이 되어있는 문장에서 글자 크기를 키우면 한 줄에 들어갈 수 있는 글자 수가 조정이 되고 당연히 줄이 바뀌겠죠. 이 형태로 저장이 되는걸 Epub이라고 합니다. 위의 표에 나와있지만 일반적인 전자책은 PC나 전자책 단말기로 많이 보실 텐데 그러기 위해서는 Epub이 판매에 더 유리할 수도 있습니다.

2020년 한글같은 경우 Epub으로 저장의 기능이 없고 MS word도 없는 걸로 알고있습니다. 하지만 구글 문서에는 Epub으로 저장 기능이 있습니다.

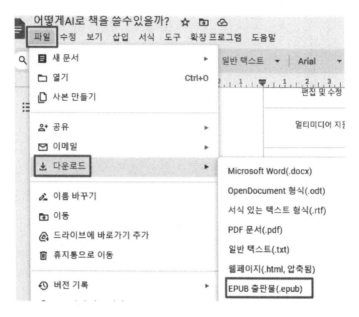

Epub은 자체에 코딩이 들어가기때문에 수정하기나 변환하기가 꽤나 복잡한데 구글 문서는 바로 변환을 할 수 있는 것이 큰 장점이라고 생각합니다.

물론 저는 이걸 쓰지만 위에 말씀 드렸다시피 수강생분들은 본인이 맞는 도구들을 쓰고 거의 PDF 형태로 출간을 하셨습니다.

책
표
만
지
들
기

☑ Cavna 로

☑ 책표지만들기

책 표지 만들기

이 책을 쓰는 목표는 독자로 하여금 작가로 등록할 수 있게 하는 것이고 마지 막장에 이야기 하겠지만 개인이 전자책을 출판을 하려면 전자책 출판사를 거쳐야 합니다. 물론 내가 책 표지를 따로 만들지 않아도 각 출판사에서 제공하는 양식이 있긴 하지만 마음에 들지 않으실 가능성이 큽니다. 이에 책 표지를 만드는 과정을 넣었습니다.

책 표지에 따로 주어진 양식은 없습니다. 그림 판에서 꾸며도 되고 심지어 그냥 A4용지에 써서 붙여서 크게 관계없겠죠.

개인적인 생각으로는 책 표지는 그 책의 얼굴입니다. 동의 안하시는 분도 계시겠지만 내용만큼 표지도 중요하다고 생각합니다.

제가 만든 표지는 Canva라는 도구를 이용했습니다.

미리캔버스라는 플랫폼을 많이들 알고 계실 겁니다. 미리캔버스는 사실 Canva의 한국 버전이라고 보셔도 무방합니다. 두 가지 플랫폼을 비교해보면 정말 놀랄 만큼 비슷합니다.

Canva라는 회사는 호주에 본사를 두고있고 전세계적으로 디자인을 할 때 가장 많이 쓰여지는 플랫폼입니다.

사용자 친화적인 그래픽 디자인 플랫폼으로, 웹과 모바일 앱을 통해 사용할 수 있습니다. 이 플랫폼은 사용자가 전문적인 디자인 경험이 없어도 다양한 종류의 디자인 작업을 손쉽게 할 수 있는게 특징입니다.

Canva의 주요 기능으로는 많은 종류의 미리 제작된 템플릿을 제공한다는 점이 있습니다. 이 템플릿들은 소셜 미디어 게시물, 프레젠테이션, 책 표지 , 명함, 포스터, 비즈니스 카드 등 정말 디자인적으로는 없는게 없습니다.

Canva의 인터페이스는 직관적인 드래그 앤 드롭 방식을 채택하고 있어 사용자가 쉽게 이미지, 텍스트 박스, 아이콘 등을 자유롭게 추가하고 조정할 수 있습니다. 또한, 사용자는 자신의 디자인에 맞게 다양한 폰트와 색상 옵션을 선택할 수 있으며, 고화질 이미지와 일러스트레이션도 쉽게 사용할 수 있습니다.

상업적 목적의 Canva 사용

강의를 나가면 가장 많이 물어보시는 내용 중에 하나입니다.

이 도구를 책 표지로 사용해도 되냐는 질문이죠. 책은 팔려고 쓰는 것이기 때문에 상업적 목적입니다. 결론부터 말씀드리면 무료버전은 되고 유료버전은 제한이 있을 수 있습니다.

6. 무료 콘텐츠에만 추가로 허용되는 사용

무료 콘텐츠는 프로 콘텐츠보다 제한이 적습니다. 다음과 같은 추가 방법으로 사용할 수 있습니다.

1. 추가 라이선스를 취득하지 않고도 두 개 이상의 Canva 디자인에서 무료 콘텐츠를 사용할 수 있습니다.
2. 독립형으로 무료 콘텐츠를 다운로드합니다. 그리고
3. 웹사이트, 소셜 네트워킹 웹사이트, 문서, 프로젝트 또는 기타 제3자에게 배포 및/또는 판매를 위한 템플릿의 무료 콘텐츠를 사용합니다.
4. 웹사이트 템플릿, 플래시 템플릿, 명함 템플릿, 전자 인사말 카드 템플릿, 브로셔 디자인 템플릿을 포함하되 이에 국한되지 않고 온라인 여부에 상관없이 재판매용 디자인 템플릿 애플리케이션에서 무료 콘텐츠를 사용합니다. 그리고
5. 귀하를 위해 고용되거나 서비스를 수행하는 사람들이 사용할 수 있도록 두 개 이상의 위치에 무료 콘텐츠를 설치 및 사용하거나 네트워크 서버 또는 웹 서버에 콘텐츠 사본을 게시하십시오.

무엇이 허용되나요?

디자인이 들어간 실물 상품 (예: 티셔츠, 스티커, 책 등) 또는 디지털 제품 (예: 전자책, 잡지, 뉴스레터 등) ✔ 판매

무료 및 Pro 요소가 포함된 템플릿 ✔ 디자인 및 판매는 Canva 템플릿 링크로 공유됩니다.

무료 요소만 사용해 템플릿 ✔ 디자인 및 판매 (PDF, JPG, PNG 등으로 공유하는 방식)

고객사를 위한 디자인 (예: 소셜 미디어 광고, 초대장 등) ✔ 제작

✘ Canva 템플릿 또는 기본 제공 요소를 있는 그대로 재판매하기

허용되는 사용의 전체 목록은 콘텐츠 라이선스 계약의 섹션 5를 참조하십시오.

인터넷을 조금만 검색해봐도 Canva 저작권이나 상업적 사용에 관한 내용이 많이 나오기 한번 찾아보시길 바랍니다.

이제 Canva로 가봅니다.

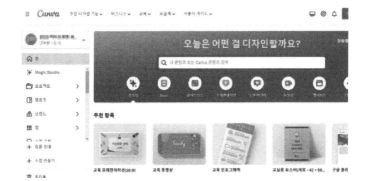

Canva의 메인 화면이고 검색창에 "책표지"라고 넣었을 때 수많은 템플릿을 보실 수가 있습니다.

카테고리에서도 원하는 내용을 검색할 수 있습니다.

하나를 선택해볼까요?

전구 패턴 자기 탐구 책 표지

책 표지 • 1410×2250px

제공: Canva Creative Studio

이 템플릿 맞춤 편집하기

파워포인트를 사용해보 신분이면 글자 모양을 바꾸거나 크기를 바꾸는 것은 쉽게 하실 것이고 저같이 미적 감각이 없는 사람에게도 왼쪽 "요소" 에서 AI기반 맞춤형 모양들을 제공해서 어려움 없이 디자인을 할 수 있습니다.

오른쪽 많은 전구들로 이루어진 "나답게 사는 방법"의 표지를 "픽셀속의 지능 : AI가 만들어낸 사진 혁명"으로 각색한 책 표지입니다.

물론 급하게 만들어서 조악하긴 하지만 그래도 전자책 플랫폼에서 제공하는 기본 이미지보다는 훨씬 낫습니다.

이렇게 만들어진 디자인은 오른쪽 위 "공유"에 들어가서 JPG 파일로 꼭 저장을 해주셔야 합니다. 물론 Canva 자체가 자동저장 기능이 있어서 지워지거나 하지는 않으나 파일은 다음 장 전자책 출판 시 꼭 필요합니다.

픽셀속의 지능

AI가 만들어낸 사진 혁명

Canva를 이용해서 급하게 만들어본 책 표지입니다. 아래 왼쪽 "유페이퍼" 그리고 오른쪽에는 작가 이름이 들어가야 하는데 이건 필수 조건입니다. 다음 장 "출판하기"에서 알려드리겠습니다.

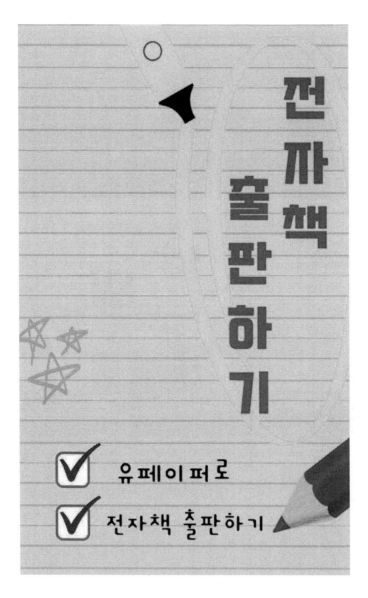

전자책 출판하기

☑ 유페이퍼로
☑ 전자책 출판하기

출판하기

이제 끝이 보입니다. 마지막으로 출판하기 입니다.

전자책을 출판하는 출판사는 여러 곳이 있습니다. 대표적인곳이 부크크(Bookk), 작가와 , 유페이퍼, 크몽 등입니다. 지금 쓰고있는 이 책은 종이 책으로 낼 예정이라 부크크의 플랫폼을 사용할 생각이지만 이것저것 써본 결과 가장 쉽게 전자책을 출판할 수 있는 플랫폼은 "유페이퍼" 입니다.

원고는 만들어놓으면 다른 곳으로도 언제든 출판할 수 있으니 이 책에서는 가장 필자기준에서 가장 쉬운 "유페이퍼" 기준으로 설명하겠습니다.

upaper.kr
GPT4.0이 알려주는 유페이퍼의 장단점부터 보겠습니다.

장점	단점
전자책 출판과 유통을 일괄 처리	수수료가 높음 (30% 내외, 유통사에 따라 최대 60%)
작가에게 70% 수익 분배 (유페이퍼만 판매 시), 다른 제휴사를 통해 판매 시 작가 60%	홈페이지 속도가 느리고 사용자 인터페이스가 구식일 수 있음

ISBN 발급 및 DRM 저작권 보호 제공	목차를 일일이 입력해야 함
예스24, 알라딘, 교보문고 등 다양한 온라인서점 입점 가능	가격 수정이 18개월 동안 불가능
정산 지연 (한 달 후 정산, 적은 금액은 이월될 수 있음)	

내용을 좀 분석해보면 가장 큰 장점은 전자책 출판과 유통을 일괄처리 한다고 되어있죠. 네 제가 생각하기에도 가장 큰 장점입니다. 한번만 등록되어서 승인만 나면 신경 쓸게 없습니다.

나머지 장단점은 사실 다른 출판사들과 크게 다르지 않습니다 단 ISBN비용은 1,000원정도 들어가는데 개인이 부담하셔야 합니다 (부크크와 작가와는 무료)

장점 맨 아래 "정산지연" 이라는 게 있는데 사실 저건 단점이죠. AI는 완벽하지 않다는 걸 한번 더 강조하면서 수정하지않고 그대로 넣었습니다.

유페이퍼의 UI는 심플합니다. 홈페이지 담당자가 이글을 어떻게 생각할지 모르겠지만 어찌 보면 촌스럽기까지 하게 보일 수도 있습니다.

하지만 "Simple is the best"라고 했던가요. 간단한 만큼 사용하기가 가장 쉽습니다.

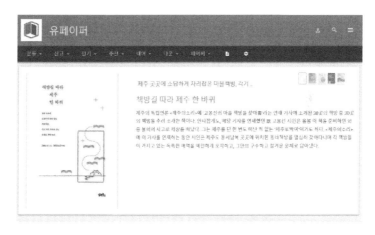

먼저 회원가입을 해줍니다.

회원 가입이 되셨다면 판매자로 등록을 해주셔야 합니다.

예금주는 실명으로 하셔야 하고 아래 판매 비율은 30%로 고정이 되어있습니다. 이는 유페이퍼 내에 전자책이 판매되었을 시작가가 70%의 수입을 가져가는 것을 의미합니다. 단 연재물로 구독판매시는 2:8 비율로 된다고 명시되어 있습니다.

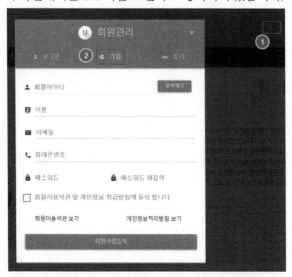

이것까지 하면 입력한 ID로 된 페이퍼가 하나 완성이 됩니다.

처음에 전 이게 헷갈렸는데 하나의 개인 온라인 서점을 만든다고 생각하시면 편할 것 같습니다.

페이퍼 소개 글을 적고 아래에는 경력이나 이력을 적습니다. 작가를 표현하거나 알리는 작업입니다.

다음 화면은 서점을 꾸미는 창인데 저는 따로 하진 않았습니다.

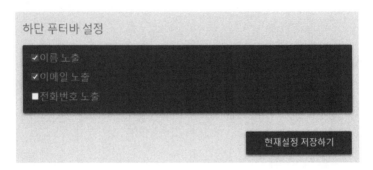

우측 하단에는 개인정보를 어디까지 노출할 지에 대한 선택창
이 있습니다.

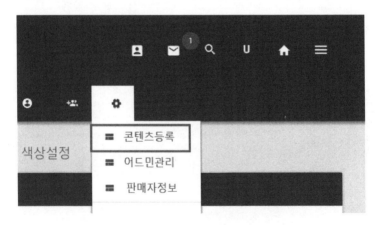

이제 아까 보이지 않았던 콘텐츠 등록이라는 탭이 생겼습니다.
작가 본인의 온라인 페이퍼 (서점)에 책을 업로드 할 수 있습니
다.

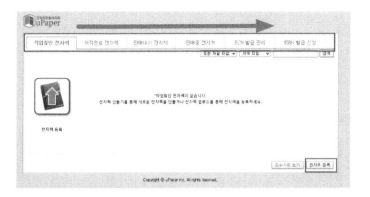

말씀드린 대로 UI는 아주 심플합니다. 위에 보시는 화살표의
순서대로 하셔야 합니다. 전자책 등록을 누릅니다.

여기에는 책의 제목 , 부제목 저자 등을 적습니다. 아래 전자책
소개와 저자 소개는 각각 100자 50자로, 필수로 글자수를 맞추
지 않으면 다음으로 넘어가지 않습니다

135

edit.upaper.kr 내용:

도서 소개 정보는 100자 이상 입력해 주세요.
현재 61자 입력되었습니다.

확인

이제 전자책 파일 등록입니다. 2가지 종류의 파일을 업로드할
수 있습니다. EPUB과 PDF 등록입니다. 먼저 EPUP등록입니
다. EPUB에 대한 설명은 위에 한번 했고 Google 문서를 사용
해서 작업하셨다면 파일 - 다운로드- EPUB출판물로 다운을
받으시면 됩니다.

일단 파일 선택을 눌러서 EPUB파일을 업로드 해주시고 위에
맨 아래 전자책 표지에 전장에서 만들어 놓았던 JPG파일을 업
로드 해주시면 됩니다.

136

다음은 PDF 파일 업로드입니다.

PDF파일 저장하는 방법은 한글이나 워드 구글문서 에서 일반
적으로 파일-다른 이름으로 저장 – PDF로 저장으로 할 수 있
고 위의 EPUB파일 업로드 하는 방식과 동일합니다.

아래 전자책 표지에서 동일하게 JPG파일을 넣습니다. 혹시 전
장에서 표지를 만들지 않았으면 유페이퍼 내에서 표지 템플릿
을 무료로 제공해 주긴 하는데 책은 보이는 표지도 중요하다고
생각이 듭니다. 그래서 무료 표지는 별로 추천 드리지 않습니
다.

아래는 유페이퍼 내에서 제공하는 무료 책 표지들입니다.

«맨앞 ‹이전 | 1 | 2 | 다음› 맨뒤 »

추천 드리지 않는 이유를 잘 아시겠지요

PDF파일을 업로드 하는 것은 한가지 작업이 더 있습니다. EP
UB은 단말기가 텍스트를 인식을 하는 시스템이라 따로 목차를
적지 않아도 되지만 PDF는 사진의 개념이라 개개인이 목차를
지정해줘야 합니다.

이게 EPUB보다는 조금 귀찮은 점이 되겠군요.

제작완료가 되면 유페이퍼 내에서 검수를 합니다. 페이지와 목차는 맞는지 출판사 명은 잘 적혀 있는지 가격 형성은 잘 되어 있는지 등등, 오른쪽 하단에 검수 기준이 나와있으니 한번 꼭 살펴 보시는 걸 추천 드립니다.

캡쳐본에는 없고 제작 완료가 되고 판매대기로 넘어가는 기간에는 위에 말한 ISBN발급 신청을 해줘야 합니다. 잠시 설명을 드리면 ISBN(International Standard Book Number)은 책을 구별하기 위해 사용되는 고유한 식별자 입니다. ISBN은 국제적으로 인정받는 표준이며, 각 책마다 고유한 ISBN이 할당됩니다. ISBN은 보통 10자리나 13자리 숫자로 구성되어 있으며, 출판사, 제목, 판본 및 형식과 같은 정보를 나타냅니다.

옆에 있는 ECN(Electronic Catalogue Number)은 전자 카탈로그에서 특정 항목을 식별하기 위해 사용되는 번호입니다. 예를 들어, 도서관이나 온라인 상점에서 책, 음악, 비디오 등을 관리하고 검색하는 데 사용됩니다. ECN은 해당 항목의 위치, 유형, 가용성 등의 정보를 제공합니다.

ISBN은 온라인이나 오프라인 판매를 하기 위한 필수 조건이라 꼭 등록을 해야하며 ECN은 필수조건은 아니나 필요로 하는 플랫폼들이 있으니 같이 신청해주면 좋습니다. 비용은 각각 1,000원이니 부담이 되진 않습니다. ISBN가 나오는데 1주일정도의 시간이 걸렸던 것으로 기억이 납니다.

ISBN 번호를 받고 검수가 올바르게 완료되면 제작완료에서 판매 중으로 넘어갑니다. 넘어가는 동안 온라인 유통서점에서도 하나 둘씩 승인이 나는데 그럴 때마다 등록해 둔 메일로 "상용화"가 되었다는 메세지가 옵니다.

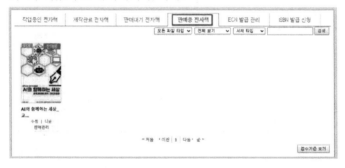

허니소프트협동조합님의 'AI와 함께하는 세상_ 교육, 문제점, 윤리 그리고 미래' 제휴사(예스24) 상용화.

허니소프트협동조합님의 'AI와 함께하는 세상_ 교육, 문제점, 윤리 그리고 미래' 전자책이 제휴사 (예스24) 에서 상용화 되었습니다.

(주)휴페이퍼316-86-00520 | 대표이사 :이병훈
주소 : 서울시 강남구 학동로2길 19, 2층 (논현동,세일빌딩)

이 메일을 받을 때가 가장 기분이 좋습니다. 위의 메일은 예스2 4에서 판매 승인이 났다는 뜻이고 예스24 온라인 서점에서 내 가 쓴 전자책을 확인할 수 있습니다.

가장 기쁜 순간이죠. 하지만 저도 위의 첫 책을 쓸 때 한번에 승 인이 났던 것은 아니었습니다. 판매 거절 사유를 두 번 정도 받

있는데 내용은 아래와 같습니다. 꼭 숙지하 셔서 한번에 성공하시길 바랍니다.

판매 거절 메일은 아래와 같습니다.

판매승인거절 사유입니다.

1) AI이용시 콘텐츠 관리 - 게시판 관리 - 판매자 공지 9월11일 내용 확인해주시길 바랍니다.

2) 표지에 출판사 명 기재해주시길 바랍니다.

3) pdf파일내 첫 페이지에는 업로드 해주신 표지 이미지와 동일한 표지이미지를 넣어주 시길 바랍니다. 그래야 구매자분들께서 도서 열람 시 표지부터 보여집니다.

4) pdf파일내 판권페이지가 누락되어 있습니다. 판권페이지에는 책제목, 발행일, 저자, 출판사, 전자책 가격이 들어가져야 하며 정해진 양식은 없습니다.   위의 사항 확인하셔서 pdf파일 수정 후 콘텐츠등록의 승인 거부된 해당 도서 수정에 들어가셔서 수정파일 재 업로드 후 전자책 수정버튼클릭, 그 후 다시 판매 신청 해주시길 바랍니다. 감사합니다. (신규등록 X)

첫번째로 9월 11일 판매자 공지를 확인하라고 나오죠

책소개정보 상단에 Chat GPT (또는 AI 서비스명 명시) 를 이용하여 작성했음을 명시
저자명에 반드시 ChatGPT (또는 AI서비스명) 을 반드시 입력, 추가로 엮은이에 판매자 실명을 입력
가상의 다른 사람 이름이나 필명은 사용시 승인 거부됩니다.

생성형 AI를 사용해서 책을 작성했음을 명시하고 저자명에 꼭 같이 기재하게 되어있습니다. 그래서 저희 조합은 저자가 허니소프트 협동조합에서 "허니소프트협동조합&ChatGPT 공저"라고 바꿨습니다.

두번째 앞 표지에 위의 저자 이름만 쓰고 출판사를 따로 쓰지않았답니다. 그래서 왼쪽 아래 "유페이퍼"라는 내용을 넣었습니다.

유페•l퍼   허니소프트 협동조합과 CHATGPT공저

세번째가 좀 헷갈릴 수도 있습니다. 표지를 업로드 했 던거 기억하시나요? 표지를 업로드 한 것 이외에 PDF 파일 맨 앞장에 표지를 한 장 더 넣어야 한다는 규정이 잇습니다. 그래야 승인이 납니다.

AI와 함께하는 세상 _ 교육 , 문제점, 윤리 , 그리고 미래

발 행 | 2024년 01월 16일

저 자 | 허니소프트협동조합

펴낸이 | 한건희

펴낸곳 | 주식회사 부크크

출판사등록 | 2014.07.15.(제2014-16호)

주 소 | 서울특별시 금천구 가산디지털1로 119 SK트윈타워 A동 305호

전 화 | 1670-8316

이메일 | info@bookk.co.kr

ISBN | 979-11-410-0000-0

www.bookk.co.kr

마지막으로 "판권" 페이지의 누락이었습니다. 책제목, 발행일, 저자, 출판사, 전자책 가격 등 책의 정보가 들어가는 페이지가 따로 있어야하며 정해진 양식은 없다고 하지만 일반적으로 위와 같은 내용이 들어갑니다.

이 몇가지만 주의하시면 대형 유통서점에서 본인이 쓰고 표지를 디자인한 자신이 책을 만나보 실수 있을 것입니다.

< 마 치 며 >

"작가…." 어릴 때 수많은 꿈 중에서도   저의 선택을 받지 못한 직업입니다.

나이를 먹으며 언제부턴가 '내 이름으로 된 책이 한권 있었으면 좋겠다.' 마음 한 켠에 스며든 그 생각은 마침내 이렇게 두 번째 책의 마지막 장을 채우는 현실이 되어갑니다. 버킷리스트의 한 줄에서 시작된 이 여정이 지금 이 순간 작가라는 길에 한 발 더 다가가는 것 같아 기쁩니다.

완벽하지 않아도 좋습니다. 시작했고, 진행했고, 완성했으면 그 것만으로도 스스로에게 수고했다고 충분히 말할 수 있습니다.

남이 알아주지 않아도 좋습니다. 계획했고 ,행동했고, 버킷리스트 한 줄 지웠으면 또다른 꿈을 향해 도전하면 되는 것이죠.

마지막으로, 이 책의 완성을 도와준 모든 이들에게 진심으로 감사드립니다. 여러분의 꿈이 현실로 이루어지는 그날까지, 언제나 여러분 곁에서 응원하겠습니다.